Casi un cuento de hadas

DE

Antonio Buero Vallejo

OLECCION TEATRO N.º 57

UNIVERSITY OF THE PACIFIC
LIBRARY
1851
STOCKTON, CALIFORNIA

CASI UN CUENTO DE HADAS

OBRAS DEL MISMO AUTOR PUBLICADAS
EN ESTA COLECCION

3. En la ardiente oscuridad.
10. (Extra). Historia de una escalera y Las palabras en la arena.
16. La tejedora de sueños.
21. La señal que se espera.
57. Casi un cuento de hadas.
96. Madrugada.
100. (Extra). Colaboración en el número conmemorativo.
121. Irene o el tesoro.
176. Hoy es fiesta.
191. Las cartas boca abajo.
235. (Extra). Un soñador para un pueblo.
285. (Extra). Las Meninas.
345. (Extra). Hamlet, Príncipe de Dinamarca, de Shakespeare. (Versión española).
370. (Extra). El concierto de San Ovidio.
408. (Extra). Aventura en lo gris.

CASI UN CUENTO DE HADAS

UNA GLOSA DE PERRAULT, EN TRES ACTOS

POR

ANTONIO BUERO VALLEJO

EDICIONES
ALFIL
PREMIO NACIONAL DE TEATRO

COLECCION

TEATRO

SEGUNDA EDICION

Depósito Legal: CA. 137-1965 Núm. de Registro: 5.585-65

ESCELICER, S. A., Cádiz - Obispo Calvo y Valero, 4 al 12

Estrenó esta obra la Compañía "La Máscara", en el teatro Alcázar, de Madrid, la noche del 10 de enero de 1953, con el siguiente

REPARTO

El rey Alberto	RAFAEL BARDEM.
La reina Juana	MATILDE MUÑOZ SAMPEDRO.
La princesa Leticia	NANI FERNÁNDEZ.
Darío, canciller	ANTONIO RIQUELME.
La princesa Laura	CÁNDIDA LOSADA.
Félix, gentilhombre	JOSÉ VILAR.
Jorge, gentilhombre...	VICENTE LLOPIS.
Irene, dama de honor	ESPERANZA GRASES.
Clotilde, dama de honor ...	CELIA FÓSTER.
Oriana	MARGARITA ROBLES.
El príncipe Riquet	GUILLERMO MARÍN.
Riquet, (contrafigura)	GABRIEL LLOPART.
Armando, señor de Hansa...	RICARDO LUCIA.

En el Palacio Real de un pequeño Estado europeo. Mediado el siglo XVIII. Alguna que otra vez, un leve fondo musical —el mismo siempre—. Acaso el aria del "Festival acuático", de Handel. El *allegro* de la misma pieza puede oírse al comenzar la obra.

Derecha e izquierda, las del espectador.

Decorado: EMILIO BURGOS.
Vestuario: VICENTE VIUDES.
Dirección: CAYETANO LUCA DE TENA.

ACTO PRIMERO

Entrada musical, que termina cuando el telón se alza. El salón de recreo de las princesas, que se encuentra en un ala del palacio, es una graciosa estancia octogonal de estilo recocó. Araña, espejos, candelabros y porcelanas de Sajonia; pastoriles medallones al fresco y muebles de grácil curvatura. Un fino conjunto de tonos pálidos y de medias cañas de oro. Hay una puerta en el primer término derecho y otra en el chaflán izquierdo. El chaflán de la derecha lo forma el balcón, amplio y hondo, con poyete de madera inundado de luz. Tras el salón y a lo largo del foro hay una galería alta que se pierde en los laterales, con las cristaleras abiertas al tiempo suave, desde la que se domina el parque y el estanque. En los extremos de la pared del foro, dos accesos encortinados, a los que se sube por tres o cuatro peldaños, comunican la galería con el salón. Entre los dos accesos, un amplio mirador embalaustrado, cuyas cortinas están descorridas, nos permite ver gran parte de la galería. Cerca del lateral izquierdo, dos sillones y una mesita de jugar a las damas. Sobre la mesita, un afiligranado estuche de plata para las fichas. Sofá y otros asientos. Entre la puerta de la derecha y el balcón, un armarito liviano.

(Su graciosa majestad la REINA JUANA, *de perfil, sentada en el sillón de la izquierda más cercano al proscenio, tamborilea con mal disimulada impaciencia en los brazos de su asiento. Su majestad el* REY ALBERTO, *sentado en el otro sillón, está absorto en las fichas del juego.* DARÍO, *canciller del reino, en pie junto a su señor y con una blasonada carpeta de documentos bajo el brazo. La* REINA *es una mujer ya no joven, de expresión viva y dominante. El* REY, *un sujeto bonachón y distraído. El* CANCILLER, *un viejo seco y estirado. Sentada con la menor cantidad de etiqueta posible en el poyete del balcón, rodeada de muñecos, libros desportillados y estampas de colores, se encuentra su alteza real la* PRINCESA LETICIA. *Es una muchacha bellísima, de expresión absorta y aniñada, que se entretiene sin entusiasmo con sus juguetes. A pesar de la riqueza de su atavío, el aire desvalido con que la vemos acurrucada en su poyete diríase el de una paradójica Cenicienta. La blanca luz del día destaca con fuerza su delicada figura, como una vaga nota de irrealidad en el concreto ambiente palaciego. Aquél es el nada protocolario rincón de la* PRINCESA LETICIA. *Si lo prefiere a un cómodo sillón por voluntad propia o porque se lo han hecho preferir, lo sabremos quizá más tarde. Lo cierto es que los demás están ya acostumbrados a sus rarezas y parecen aceptar sin sorpresa su extraña manera de comportarse.)*

REY.—*(Mueve una ficha y se recuesta.)* Os toca, señora.

(La REINA *mueve en seguida, sin fijarse. El* REY *suspira y estudia la jugada. Entre la* REINA *y el* CANCILLER *se cambian gestos de impaciencia. El* CANCILLER *tose discretamente.)*

Lamento deciros, señora, que esa jugada es fatal para vos.

REINA.—No importa. No quiero ventajas.

REY.—Entonces... Sí. Creo que os gano.

(El CANCILLER *tose, algo más fuerte.)*

Es decir... ¡Os ganaría, si no fuese por ciertos ruidos que me impiden pensar!

(El CANCILLER *se mueve, turbado.)*

Veremos a ver si se aplacan... Sí. Parece que ya no se oye nada. Un momento.

REINA.—¿Por qué no atendéis al canciller?

REY.—*(Irritado.)* ¡Un momento!... Nada. Ya lo he olvidado.

(Mira al CANCILLER, *que no sabe dónde meterse.)*

REINA.—*(Tras una rápida ojeada al tablero.)* ¿Era esto?

(Coge la ficha de su esposo y come varias de sus propias fichas.)

REY.—*(Estupefacto.)* Sí. Pero no tantas.

REINA.—De todos modos, me ganábais. ¿Por qué no atendéis al Canciller?

REY.—*(Mohino.)* El caso es que... pensaba salir a cazar.

REINA.—Los caminos están muy encharcados. Es preferible que atendáis al Canciller.

LETICIA.—*(A uno de sus muñecos.)* Es preferible que atendáis al Canciller.

(Todos la miran y cambian gestos de conmiseración. Ella sigue jugando.)

DARÍO.—Precisamente traía noticias concernientes a su alteza real.

REY.—*(Aburrido.)* Decid, Darío.

DARÍO.—Tal vez convendría despachar en el salón del consejo... *(Indica la presencia de la princesa.)* El protocolo...

REINA.—*(Impaciente.)* Ya sabéis que la pobre no comprende nada. Hablad.

DARÍO.—Con la venia de vuestras majestades. *(Tose y abre su carpeta.)* Acabamos de recibir la contestación a nuestras tres últimas proposiciones.

REY.—Negativas corteses, naturalmente...

REINA.—*(Sulfurada.)* ¿Por qué, señor? Un enlace con nuestra hija no es de despreciar. Olvidáis que es la heredera del trono.

REY.—Lo que no olvido son las seis, ¡seis!, negativas recibidas.

REINA.—¿Y qué? Los tres últimos pueden haber dicho que sí. ¿Verdad, Darío?

DARÍO.—*(Tose.)* Perdón, señora. No exactamente.

REINA.—¿Cómo? ¿Dos nada más?

DARÍO.—Temo que no, señora.

REINA.—Bien. Basta con uno. ¿De quién se trata?
DARÍO.—El caso es, señora...
REINA.—¿Ninguno?
REY.—Ya lo veis.
REINA.—¿Os alegra?
REY.—*(De nuevo muy triste.)* No. No, señora. Pero sé que los príncipes de hoy no son como los de mi tiempo. En mi tiempo no importaba que una princesa fuese tonta.
REINA.—¡Alberto!

(El CANCILLER *tose como un tuberculoso.)*

REY.—No os preocupéis, Juana. *(Por* LETICIA.) Ella no comprende.
REINA.—¡No lo digo por ella, sino por mí!
REY.—¿Por vos? Esperad... *(Comprende.)* Bueno, quise decir...
REINA.—¿El qué?
REY.—¡Bueno, yo me voy a cazar!

(Intenta levantarse.)

REINA.—*(Inmovilizándole con su tono despectivo.)* Sentaos, señor. Se trata del porvenir de nuestra hija.
DARÍO.—Y del reino, señora. La corona pasará mañana a las manos de quien la despose.
REY.—*(Refunfuña.)* Si me hubiéseis dado un hijo...
REINA.—*(Hostil.)* Si me lo hubiéseis dado vos... ¿O lo queríais de otro modo?

(Tempestad de toses del CANCILLER. LETICIA *vuelve a mirarlos, como hace de vez en cuando, con cara inexpresiva.)*

REY.—¡Ejem! ¿Tenéis el último informe de la Facultad?
DARÍO.—Es negativo, señor.
REINA.—*(Melosa, a* LETICIA, *que los mira.)* Juega, nenita, juega... (LETICIA *vuelve a sus estampas.)* Esas juntas de médicos son un disparate. En el extranjero se enteran de todo por ellas, y luego vienen las negativas. *(A* LETICIA, *que los mira otra vez.)* Mira mi nena, cómo juega con sus estampitas... ¿Verdad que son muy lindas, encanto? *(Seca.)* Juega. (LETICIA *suspira y vuelve a sus muñecos.)* Quizá debiéramos consultar otra vez a Oriana.
DARÍO.—*(Como si le hubiese picado una avispa.)* ¡Es una vulgar charlatana, señora!
REY.—¡Peor! ¡Es una loca!
DARÍO.—Si puedo decirlo, le agradezco mucho que no baje

casi nunca de su torre. Vuestras majestades tienen... leales servidores..., y muy inteligentes..., a quienes consultar. Aquí se trata de un acto político, como el casamiento de su alteza...

(LETICIA *los mira.)*

REY.—Eso. No de cambiar sus pobres sesos de pájaro.

REINA.—Bien. Ya sé todo eso. Pero habría que hacer algo. *(Un silencio. Al canciller.)* Nos íbais a dar noticias de los príncipes...

DARÍO.—Esta es la respuesta de Falburgo. *(Tose.)* Lamentan... Esta, la de Stilemberg.

REY.—¿También lamentan?

DARÍO.—También. *(Esgrime otro papel.)* Unicamente Armando, el Señor de Hansa...

REINA.—*(Esperanzada.)* ¿Acepta?

DARÍO.—Agradece el honor... y ruega un plazo indefinido para contestar.

REINA.—¡Qué grosero!

DARÍO.—Algo menos que los otros, señora.

REINA.—*(Se levanta y pasea.)* ¡Esta situación es bochornosa!

REY.—Sin duda. Está hermosa la mañana, ¿eh, Darío?

(Comienza a levantarse.)

DARÍO.—Sí, majestad.

REINA.—*(Seca.)* ¿Dónde vais?

REY.—*(Cogido.)* A... cazar.

REINA.—¡Sentaos!

REY.—Como vi que os levantábais...

REINA.—¡Es que estoy nerviosa! *(El* REY *suspira y se sienta.)* ¿Estáis seguro, Darío, de no haber olvidado a ningún posible candidato?

DARÍO.—Por desgracia, no, majestad. La propuesta y el retrato de la interesada se han... paseado por toda Europa. *(Breve pausa.)* Prescindí solamente de uno, en quien no se puede pensar.

REINA.—¿Olvidáis que hay que casarla? ¡Sea quien sea!

DARÍO.—Se trata, señora, del príncipe Riquet. La triste fama de... su aspecto físico nos ha llegado a todos.

REINA.—*(Decepcionada.)* Tenéis razón, no puede ser.

(Pasea.)

REY.—*(Se levanta, frotándose las manos y sin mirar a na-*

die.) Bien. Escribid al Señor de Hansa apremiándole para una respuesta definitiva. Disculpadme, señora.

(Marcha, muy rápido, hacia la derecha.)

REINA.—¡Cuánta prisa!
REY.—Creed, señora, que no puedo detenerme.
REINA.—¿Se os hace tarde para la caza?
REY.—No, señora. El motivo es otro...
REINA.—¿Cuál?
REY.—¡Por Dios, Juana! ¡Quereis saberlo todo! *(Avergonzado.)* No puede decirse.

(Sale, disparado.)

REINA.—*(Ofendida.)* ¡Oh!
DARÍO.—Uno de los lunares que más pueden afear a los reyes es la falta de etiqueta. Si el padre no puede dejar de mostrar su... humanidad, ¿cómo va a dejar la hija de sentarse en el suelo?
REINA.—Es una niña tan difícil... Tenéis que perdonarla.
DARÍO.—¡Me crispa, señora! ¡Me crispa!
REINA.—*(Acercándose a* LETICIA.*)* ¿Qué haces, sol mío? ¿Son bonitas las estampas? Te traeré más, ¿quieres? *(*LETICIA *la mira y no contesta. La* REINA *se agacha a su lado.)* Mira los muñequitos... *(Le muestra uno, con muy poca gracia.)* ¿Te gusta? *(*LETICIA *niega.)* ¿No? ¿Y éste? ¿Tampoco? Mira cuanta estampita... ¿Y este envoltorio, qué es? *(Va a coger algo, envuelto en un paño oscuro.* LETICIA *se lo arrebata y lo esconde contra su pecho. La* REINA, *enfadada:)* ¡Niña! ¿No me lo dejas ver? *(*LETICIA *niega.)* ¡Tráelo ahora mismo! *(*LETICIA *niega con fuerza. La* REINA *se levanta.)* ¡Qué castigo!
DARÍO.—Valor, señora.
REINA.—*(Trata de acariciar, con un gesto agridulce, la cabeza de* LETICIA, *que se desvía. Con cierto tono de involuntario rencor:)* Juega, juega, pobrecita. Juega y no pienses. Tu madre vela por ti, aunque no se lo agradezcas. Vamos, Darío.

(Se encamina, muy estirada, a la derecha. El CANCILLER *se precipita a abrir la puerta y se inclina, saliendo tras ella. Pausa.* LETICIA *deja el envoltorio y se levanta. Mira a todos lados y corre a sentarse en el sillón que ocupó su padre. Mueve, con impetuosa torpeza, una y otra ficha.)*

LETICIA.—Te gano, te gano, te gano... *(Silenciosa, aparece en el mirador de la galería la* PRINCESA LAURA, *y se vuel-*

ve, con el dedo en los labios. De puntillas, se le unen dos caballeros, que se sitúan a sus dos lados. Son FÉLIX *y* JORGE, *gentilhombres de cámara. La* PRINCESA LAURA *es joven, pero de una extremada, casi insoportable fealdad.* LETICIA *sigue con las fichas.)* Esta es mía. Y ésta. Te gano, te gano.

LAURA.—*(Suave.)* ¿A quién? (LETICIA *se levanta de golpe, muy turbada. Los caballeros sonríen.)* ¿A quién, Leticia? *(Corre a uno de los accesos y baja. Se acerca a su hermana, que, roja de vergüenza, esconde la cabeza en el pecho. Trata de levantarle la barbilla.)* ¿A quién ganabas, palomita? ¿Quieres que lo adivine? (LETICIA *niega levemente.)* ¡Ah, no quieres! Sabes que soy muy capaz. Soy bruja; más bruja que Oriana. *(Cierra los ojos, después de hacer un signo de inteligencia a los caballeros.* LETICIA *la mira, asustada.)* ¿Ganabas a papá?... No... ¿A mamá?... Tampoco. *(Abre los ojos.)* Me ganabas a mí, naturalmente. (LETICIA *vuelve la cabeza.)* Juguemos, ¿quieres? ¡Vuélveme a ganar! (LETICIA *va a huir y derriba de un manotazo involuntario el estuche de plata. Se detiene, temblorosa, y lo recoge con tal torpeza, que se le cae de nuevo. Lo pone, al fin, sobre la mesa y huye, corrida, a su rincón, entre las suaves risas de su hermana. Al pasar bajo el mirador, los caballeros se inclinan y saludan a un tiempo, lo que aún la sobresalta más.)* Bien, caballeros. ¿Qué esperáis para bajar?

FÉLIX.—Sólo vuestra orden, alteza.

JORGE.—Sólo vuestra orden, para correr a vuestro lado.

(Bajan los dos y se acercan.)

LAURA.—Dejad ya ese tono galante. Hoy os habéis excedido. Estoy cansada.

(LETICIA *atiende, embobada, a la conversación.)*

FÉLIX.—*(Corriendo el sillón que ocupó el* REY *para que se siente.)* Es un comentario bien triste para nosotros.

LAURA.—*(Benévola.)* ¡Bah! ¡Palabras!

JORGE.—Sí, alteza. Palabras, en las que sois tan hábil. ¿Puede haber algo más hermoso que las palabras bellas?

LAURA.—El encanto de quien las dice.

FÉLIX.—¿Y no sabéis, vos, que tenéis tanto talento, que las palabras no pueden ser encantadoras si quien las dice no lo es?

(En el mirador han aparecido IRENE *y* CLOTILDE, *dos bellas damas de honor. Con mudos gestos de*

enfado, invitan a los caballeros a subir con ellas, sin que ellos se den por enterados.)

LAURA.—*(Coqueta.)* Entonces, mis palabras no lo son.
JORGE.—Entonces, sois encantadora.
LAURA.—*(Risueño.)* ¡Embustero! Os harán pagar caras esas palabras. *(Sin volverse.)* Ea, señoritas. Bajad con nosotros. *(Consternación general.* IRENE *y* CLOTILDE *no saben qué hacer. Tampoco ellos.)* ¡Irene!
IRENE.—Alteza...
LAURA.—¡Clotilde!
CLOTILDE.—Alteza...
LAURA.—Bajad. *(Ríe suavemente. Ellas se apresuran a hacerlo. Se inclinan con prisa ante* LETICIA, *y luego hacen lo mismo, muy rendidas, ante* LAURA.) ¡Cuidado, caballeros! *(Por ellas.)* Esas miradas no auguran nada bueno. *(Se levanta.)* Estamos obligados a complacerlas por nuestra fuga. Juguemos.
CLOTILDE.—¡Oh, sí, sí! ¡Juguemos!

(LETICIA *comienza a levantarse, despacio.)*

LAURA.—¿A las prendas, Clotilde?
IRENE.—¿A la gallina ciega?
LAURA.—¿Aquí?

(La mirada de LETICIA *se ilumina. Ya está en pie, pendiente de ellos.)*

IRENE.—*(Dispone rápidamente el chal que lleva en los hombros.)* Y con vuestra alteza vendada.
CLOTILDE.—Como sois tan hábil...
LAURA.—Sea.
LETICIA.—*(Humilde.)* ¿Me dejas jugar, Laura?
LAURA.—Sigue con tus estampas. (LETICIA *vuelve a sentarse, compungida. Vendada* LAURA, *las damas la cogen de las manos y le hacen dar tres vueltas. Después, la sueltan.* LETICIA *mira, muy interesada. Las damas y caballeros no hacen la rueda; la observan, con burlona expectación.* LAURA *intenta alcanzar a alguien, pero no lo consigue.)* Pronto cogeré a alguien. La rueda es hoy muy pequeña. *(Intenta de nuevo, en vano.)* ¿La habéis hecho?
IRENE.—*(A su espalda.)* Sí.

(LAURA *se vuelve para alcanzarla y ella la esquiva, entre risas ahogadas de todos.* IRENE *y* CLOTILDE *se miran y asienten. Los caballeros no las pierden de vista.* IRENE *pellizca con mucha fuerza a* FÉLIX *y* CLOTILDE *hace lo mismo con* JORGE. *Los dos gritan. Ellas les hacen un gesto de burla.)*

LAURA.—*(Se detiene.)* ¿Qué ha pasado?

FÉLIX.—Nada, alteza.

LAURA.—¿Nada?... *(Ríe.)* Las damas se vengan de sus caballeros. Os lo avisé, Jorge. Pero no deshagáis la rueda. Pronto caerá alguien... Soy bruja; nada se me escapa... *(Los caballeros, que se frotaban la parte dolorida, también se han mirado. Rápidamente, cogen a las damas entre sus brazos. Ellas forcejean en silencio. Apartan sus caras, pero se nota que lo desean. Al fin, se dejan besar por ellos.)* Jugáis muy bien hoy... No oigo nada. *(Se mueven para uno y otro lado. Tras el beso, las damas le hacen a ella ahora un gesto de revancha.* LAURA *se inmoviliza repentinamente. La rueda se forma en silencio. De pronto,* LAURA *se quita la venda y los mira muy seria. Sólo encuentra miradas inocentes.)* Quizá fuera mejor vendarle los ojos a mi hermana. *(Las parejas se miran, dudosas de su intención. Burlona, de nuevo:)* ¿Quieres hacer de gallina ciega, Leticia? *(*LETICIA *se levanta, perpleja, y mira a todos. Luego deniega.)* ¿Como que no? Ya lo creo que jugarás. *(La venda casi a la fuerza y le da unas cuantas vueltas.)* Así.

(Todos se separan. LAURA *hace un signo de inteligencia a los demás, para que la sigan sin hacer ruído. Suben todos a la galería y contemplan por un momento a* LETICIA *desde el mirador, conteniendo la risa. Luego salen, rápidos, por la izquierda.* LAURA *es la última y, antes de desaparecer, es ella quien, desde allí, hace a su hermana un gesto de revancha.)*

LETICIA.—*(Trata de coger a alguno.)* Sin trampas, ¿eh? Os he visto antes. *(Ríe. Se mueve con torpeza.)* Ahora. *(Por la derecha entra* ORIANA *y se la queda mirando. Es una mujer de edad madura y aspecto imponente, que viste de oscuro y se apoya en un báculo. Avanza despacio hacia la* PRINCESA, *que se muestra indecisa, y la contempla con poderosa y penetrante mirada.* LETICIA *avanza, rápida, hacia un lado y pasa junto a ella, sintiéndola. Sonríe.)* ¡Por fin! Me habíais hecho dudar. *(Sujeta a* ORIANA, *palpa y se turba otra vez.)* Eres Laura... No. Espera. *(Un silencio. Al fin, se quita la venda.)* ¡Oriana!

(Se echa en sus brazos, llorando.)

ORIANA.—No llores. Tu vida va a cambiar. He bajado de la torre para decírtelo. Esta noche consulté a las estrellas.
LETICIA.—¿Puedes tú hablar con ellas de verdad?
ORIANA.—No. Sólo sé escucharlas. Para oírlas hay que guardar silencio. Entonces te hablan.
LETICIA.—¿Qué te han dicho?
ORIANA.—Pronto casarás con un príncipe.
LETICIA.—¿Es guapo?
ORIANA.—*(Después de un momento.)* Sí.

(LETICIA *se separa, risueña y absorta.)*

LETICIA.—*(Volviéndose.)* ¿Cómo se llama?
ORIANA.—Ya lo sabrás.
LETICIA.—¿A que se llama Armando?
ORIANA.—*(Frunce el ceño.)* ¿Quién te ha dicho ese nombre?
LETICIA.—No me acuerdo. Oye, Oriana: ¿eres tú un hada? (ORIANA *sonríe, sin contestar.)* ¡Lo eres! ¡Yo sé que lo eres! ¿Cuándo me casaré?
ORIANA.—Dentro de medio año.
LETICIA.—*(Palmotea.)* ¡Qué bien! *(Súbitamente triste.)* ¿Me querrá él?
ORIANA.—Con todo su corazón.
LETICIA.—*(Triste.)* Oye, Oriana... ¿Qué son sesos de pájaro?
ORIANA.—*(Apiadada, la acaricia.)* No lo sé, niña. Pero sí sé lo que son lenguas de serpiente... ¿Y tu hermana?
LETICIA.—*(Seca.)* En el parque, con los gentilhombres.

(Por el acceso de la izquierda, cabizbaja, desciende LAURA. *Al verla,* LETICIA *corre a su rincón.)*

ORIANA.—¿Qué te ocurre?
LETICIA.—*(Señala a* LAURA.*)* Me ha engañado.

(LAURA *va, sin aparentar verlas, al juego de damas y tamborilea con furia sobre el respaldo de un sillón.)*

ORIANA.—Laura, niña... He bajado a veros...
LAURA.—Ya te he visto.
ORIANA.—¿Otra vez triste? No es bueno eso. Debes distraerte. ¿Por qué has dejado a tus acompañantes?
LAURA.—¿Yo? Pregúntaselo a ellos... y a ellas.
ORIANA.—¿A ellas?
LAURA.—*(Estalla.)* ¡Sí, a ellas! Habíamos decidido remar en el estanque. Y los caballeros disputaban para lle-

varme en su barca... Siempre dicen que es un placer estar conmigo a causa de... mi talento.

ORIANA.—*(Se acerca.)* ¿Qué ha pasado en el estanque?

LAURA.—¿En el estanque? No, Oriana. Ellas propusieron otra diversión, y los caballeros se apresuraron a aceptar. Y yo tuve que quedarme, naturalmente.

ORIANA.—*(Sonriente.)* No es tan grave la cosa. ¿Qué juego era?

LAURA.—*(Sombría.)* El escondite. ¿Para qué buscarlos? Estarán por ahí, ocultos entre la enramada..., por parejas.

ORIANA.—*(Reprensiva.)* ¡Laura! (LAURA *la mira, con la más desvalida de las miradas. Compadecida, se acerca y la toma en sus brazos.)* Laura, sube a la torre conmigo. Te lo he dicho siempre. Tu destino es ése, y no es un mal destino...

LAURA.—¡Cállate! ¡Bruja, odiosa bruja repugnante! ¿Para qué quiero tus magias, si no puedes darme ni una pizca de belleza?

LETICIA.—*(Asustada.)* ¡No hables así a Oriana!

(LAURA *la mira y su cara se ensombrece. Se acerca* a LETICIA, *que se echa hacia atrás instintivamente.)*

LAURA.—Mírala. Nadie diría que somos mellizas. ¡Ella se llevó toda la belleza! ¡Toda la belleza que hubo que repartir entre las dos!

ORIANA.—Tú te llevaste el ingenio...

LAURA.—¿Me lo llevé? ¡No lo quiero! ¿De qué me sirve?

ORIANA.—Ya ves que los hombres te cortejan a ti.

LAURA.—Porque lo que querrían de ella les costaría la cabeza. *(Se vuelve hacia su hermana, exaltada.)* ¡Dame la belleza que me has quitado! ¡A ti tampoco te sirve! ¡Dámela! ¡Es mía!

LETICIA.—*(De repente.)* ¡Tómala toda y dame tu talento!

(Pausa.)

LAURA.—¡Ah!... ¿Cambiarías? Lo comprendo. Yo también lo haría. *(En voz baja.)* Te odio. No sabes lo que tienes. ¡La belleza!... ¡Dios mío!... *(Crispa los dedos.)* A veces siento ganas de destruírtela.

(LETICIA *se levanta, atemorizada.)*

ORIANA.—*(Da un paso hacia ellas.)* ¡Laura!

(LAURA *se revuelve, vibrante. De pronto, coge un montón de las estampas de su hermana y las rasga, con furia.)*

LAURA.—¡Así! ¡Así la destruiría!
LETICIA.—*(Trata de impedirlo.)* ¡No me las rompas!
LAURA.—¡Aparta, si no quieres que te destroce también tus muñecos! *(Se agacha junto a ellos.* LETICIA *se inmoviliza, temerosa.)* ¿Qué es esto?

(Coge el envoltorio oscuro.)

LETICIA.—¡Déjalo!
LAURA.—¿Secretos?

(Se incorpora y esquiva a su hermana, mientras lo desenvuelve. LETICIA *la persigue.* ORIANA *las contempla con pena.)*

LETICIA.—¡Trae! *(Consigue atrapar un pico del pañuelo.* LAURA *tira.)* ¡Suelta!

(El objeto acaba de desenvolverse. Es un lindo muñeco, de regular tamaño, lujosamente vestido de caballero y con peluca empolvada. Hasta ORIANA *se muestra sorprendida.* LETICIA *baja la cabeza.)*

LAURA.—Comprendo. Lo ha encargado a hurtadillas a maese Stolz; a veces muestra cierta inteligencia. Tu prometido, ¿no? *(Ríe.)* El príncipe encantador. ¿O, acaso, es tu amante?
ORIANA.—¡Cállate, Laura!
LAURA.—*(Coge la cara del muñeco.)* Es hermoso... *(Por el vestido.)* Y rico. ¿Le hablas? ¿Te habla? ¿Te dice cosas ingeniosas? No lo creo.
LETICIA.—*(Sombría.)* Dámelo.
LAURA.—¿Prometidos? ¿Amantes? ¡Ni tú, ni yo, podemos tenerlos! Tú, a tus muñecos, y yo, con los caballeros... Otros muñecos. Pero esto, no. Esto es una burla... para las dos.
LETICIA.—*(En un inesperado impulso, sujeta un brazo del muñeco.)* ¡Suelta! *(Tiran.)* ¡Es mío! ¡Suelta, te digo! ¡Suelta!... *(Escupe la palabra.)* ¡Fea!
LAURA.—¡¡Necia!!
ORIANA.—*(Se ha acercado, indignada y obliga a* LAURA *a soltar el muñeco, que* LETICIA *oprime contra sí.)* ¡Dáselo!... *(*LAURA *intenta desasirse, mas el puño de* ORIANA *es fuerte. Vencida su exaltación, se aparta a un lado. Una pausa. Las dos princesas rompen a llorar, en silencio, con una incontenible pena.* ORIANA, *entre las dos, las observa. Luego se acerca a* LAURA, *de nuevo dulce.)* Ven conmigo.

(La conduce por el talle, sin resistencia, hacia el chaflán.)

LETICIA.—*(Viéndolas partir, angustiada.)* Es mala, y tú la prefieres...

ORIANA.—Es desgraciada. Y me necesita más que tú.

(Salen las dos. Una pausa.)

LETICIA.—*(Con la voz velada de lágrimas.)* Y yo, ¿qué soy?...

(Un silencio. Comienza a oírse una suave música de violines. LETICIA *abraza con desesperación al muñeco; quizá lo besa. Por la izquierda del mirador aparece en este momento una extraña figura. Es un embozado, a quien la riqueza de su tricornio acredita de persona principal. Observa a la* PRINCESA *unos segundos y cruza, para reaparecer en el acceso de la derecha. Ahora vemos mejor su cara, cercana a la más horrible fealdad. Su apostura deja también bastante que desear: mal constituído, cargado de espaldas. No es, sin embargo, ridículo, sino pavoroso, y en su expresión y ademanes se trasluce a veces la inteligencia y la nobleza más grandes. Se trata de su alteza real el* PRÍNCIPE RIQUET, *irrespetuosamente motejado, cuando él no puede oírlo, con el apodo de "Riquet, el del copete", alusivo al sorprendente mechón de cabellos rubios, enhiesto y de regular tamaño, que dibuja en el aire algo así como el contorno estilizado de una llama, y que ostenta en la parte anterior de la peluca.* RIQUET *se descubre y mira a* LETICIA.*)*

RIQUET.—Señora...

LETICIA.—*(Se sobresalta y, sin volverse, oculta con vergüenza el muñeco.)* Marchaos.

RIQUET.—*(Desciende.)* Vengo de muy lejos y me ha costado mucho llegar hasta aquí sin ser advertido.

LETICIA.—¡Marchaos!

RIQUET.—Permitid que os desobedezca. (LETICIA *corre al armarito y guarda el muñeco. Respira, se vuelve y ahoga un grito.* RIQUET *le dedica una profunda reverencia, se desemboza y avanza. Viste un elegantísimo traje y ciñe espadín de oro.)* Un grito perfectamente comprensible, señora, a causa de mi aspecto. Otros se ríen. No temáis. *(Se acerca más, y ella se vuelve para que no vea la huella de sus lágrimas.)* Pero... habéis llorado... *(Sonríe.)* Lágrimas de niña; contrariedades menudas. Cuando se es tan bella como vos lo sois, no se debe llorar. Sonreíd, señora.

LETICIA.—*(Sin hacerlo.)* ¿Bella, decís?

RIQUET.—Tenéis razón. La palabra es insuficiente. Nunca vi mujer como vos, y no puede haberla.

LETICIA.—¿Y de qué me sirve ser bonita?

RIQUET.—¡Por Dios, señora, si lo tenéis todo! *(Le tiende un pañolito bordado.)* Enjugad esas lágrimas y sonreíd a la vida, ya que la vida os sonríe. (LETICIA *se seca, trata de sonreír y rompe otra vez a sollozar.)* Os he apenado más... No merezco vuestro perdón. *(Ella dice que sí con la cabeza.)* Torpe de mí... *(Ella dice que no.)* Ahora comprendo que son penas verdaderas... *(Ella dice que sí, con fuerza.)* Pasarán, creedme... *(Ella dice que no, con mucha fuerza. Breve pausa.)* Hay momentos en que es preferible desahogarse con un desconocido... Si quisiérais concederme ese honor, yo sabría olvidar vuestras palabras. ¿Qué os sucede?

LETICIA.—*(Mirándolo eatre lágrimas.)* La vida no me sonríe.

RIQUET.—No puedo creerlo.

LETICIA.—Si vivieseis aquí, lo sabríais. Nadie me quiere. Ni mis padres, ni mi hermana. Estoy sola. Y todos los gentilhombres se van con ella. Y a mí me desprecian... Y se ríen de mí.

RIQUET.—¿También de vos? ¿Por qué?

LETICIA.—Porque dicen que... que...

RIQUET.—¿Qué?

LETICIA.—¡Que soy tonta!

(Llora otra vez.)

RIQUET.—*(Pensativo.)* Vuestras palabras no pueden ser más oportunas ni más discretas.

LETICIA.—*(Rabiosa.)* ¡No, no lo son! Además, yo casi nunca hablo.

RIQUET.—Una prueba más de discreción...

LETICIA.—¡Si no es eso! No entiendo nunca lo que dicen, y no sé jugar a nada, y todo lo que cojo se me rompe. Y además...

RIQUET.—Además...

LETICIA.—*(Baja la cabeza.)* Como soy tonta, nadie quiere casarse conmigo.

RIQUET.—¿Cómo lo sabéis?

LETICIA.—Lo dicen delante de mí.

RIQUET.—¿No decís que no entendéis lo que hablan?
LETICIA.—Algunas cosas, sí... Estas cosas, sí.

(Breve pausa.)

RIQUET.—Si fueseis tonta, señora, no lo sabríais. Para creerse, a veces, necio, hay que ser muy inteligente. ¿Nadie os lo ha dicho nunca?
LETICIA.—*(Asombrada.)* No ...
RIQUET.—Calmaos. No ocurre nada. Sólo estáis... un poco acobardada por la falta de cariño. Pero tampoco es cierto que nadie os quiera. Os creéis sola y esa es vuestra amargura; no lo estáis. Ahora, por ejemplo..., no lo estáis. ¿Os encontráis más consolada?
LETICIA.—*(Casi sonriente.)* Sí.
RIQUET.—Os daré entonces un consejo. Mi primer consejo, pues quiero daros muchos, si me quedo.
LETICIA.—¿Os quedaréis?
RIQUET.—*(Sonríe.)* Voy creyendo qué sí.
LETICIA.—¿Cuál es el consejo?
RIQUET.—Cuando tengáis mucho, mucho miedo de otra persona, pensad: ella tiene más miedo de mí, porque yo soy más hermosa. Y vuestra palabra se hará fácil y acertada.
LETICIA.—¡Ya sé con quién lo voy a practicar!
RIQUET.—Lo celebro. Y pensad también, entonces: *él* me está mirando.
LETICIA.—¿El? ¿Quién es él?
RIQUET.—El... consejero, señora. Vuestro servidor..., Leticia. *(Sorpresa de ella.)* No os asombre. Os conozco desde hace tiempo. Mirad.

(Le enseña un medallón que lleva al cuello.)

LETICIA.—¡Si soy yo! *(Le mira, intrigada.)* No os llamaréis Armando, ¿verdad?
RIQUET.—¿Armando? *(Ríe.)* No, princesa. Mi nombre es Riquet. "Riquet, el del copete", como me llaman a mis espaldas, a causa de este mechón rebelde.
LETICIA.—¿Por qué no os lo empolváis?
RIQUET.—No brillaría como brilla ahora. Y no puedo evitar la idea de que en él está mi talento. ¿Habéis visto los grabados que representan a Moisés?
LETICIA.—Sí.
RIQUET.—¿Aconsejaríais a Moisés que empolvase sus potencias de luz?
LETICIA.—¿Los dos cuernecitos de luz?

RIQUET.—Sí.
LETICIA.—*(Riendo.)* No... ¿Y si lo cortárais?
RIQUET.—¿Conocéis la historia de Sansón?
LETICIA.—Sí. Es de las más sencillas.
RIQUET.—Ya sabéis que hizo mal dejándose cortar el cabello...
LETICIA.—*(Admirada.)* ¡Tenéis respuesta para todo!
RIQUET.—Y vos, Leticia.
LETICIA.—*(Sonríe, halagada. Después, ingenua:)* ¿Por qué lleváis mi retrato?
RIQUET.—*(Traga saliva y se resuelve. Se acerca, tembloroso.)* Porque deseo haceros mi esposa.. Porque os amo.

(La música cesa. LETICIA *lanza una exclamación de susto. Se tapa la boca y le mira de arriba a abajo. Al fin, huye por la derecha.* RIQUET *no se mueve. Sonríe con melancolía. Se quita la capa y la deja, junto con el sombrero, sobre una silla. Observa los detalles de la estancia y se acerca al balcón, decidido a esperar. Curioso, contempla los desparramados juguetes de* LETICIA. ORIANA *entra por el chaflán y lo mira con cariño.)*

ORIANA.—Bien venido, príncipe.
RIQUET.—*(Se vuelve y corre a su encuentro.)* ¡Oriana! *(Le besa las manos.)* Aquí me tienes, dispuesto a luchar.
ORIANA.—Vencerás.
RIQUET.—¿Tú crees?
ORIANA.—Las estrellas no mienten.
RIQUET.—Oriana..., olvidas cómo soy.
ORIANA.—Ella te dará su belleza.
RIQUET.—¡Qué hermosa es! ¡Tiemblo de pensarlo!
ORIANA.—Ten ánimo.
RIQUET.—Lo procuraré. *(Transición.)* Nunca me escribiste que la creyesen tan simple.
ORIANA.—¿Qué te parece a ti?
RIQUET.—La he encontrado discretísima.
ORIANA.—*(Sonriente.)* Lo es.

(Por la derecha entra, presuroso y jadeante, el CANCILLER.*)*

DARÍO.—*(Reverencia.)* Ruego a vuestra alteza que me perdone... Ignorábamos vuestra llegada...
RIQUET.—*(Inclinación.)* Soy yo quien debe disculparse, por venir de incógnito.
DARÍO.—Vuestra alteza es muy dueño... Y ha de excusar

mi presentación personal. *(Tose.)* Darío, canciller del reino y vuestro humilde servidor.

(Reverencia.)

RIQUET.—Os quedo muy reconocido.

(Inclinación.)

DARÍO.—Si vuestra alteza me hiciese la merced de acompañarme..., podríamos preparar los detalles de la recepción y terminaríamos, de paso, una situación tan violenta.

RIQUET.—Por mí, no es violenta.

DARÍO.—*(Tose.)* Me refiero a esta imprevista conversación de vuestra alteza con una persona que carece de rango... y que ignoro los motivos que habrá tenido para bajar, precisamente hoy, de su torre.

*(*ORIANA *lo mira con burla.)*

RIQUET.—Cuidado, canciller. Oriana es vieja amiga mía.

DARÍO.—*(Sorprendido y molesto.)* ¡Ah! Mis disculpas. Conviene, entonces, evitar nuevos encuentros con otras personas, que no deben tener efecto hasta que vuestra alteza haya sido presentado a sus majestades.

(Dirige inquietas miradas a la derecha.)

RIQUET.—*(De buen humor.)* Quiere decirse que me proponéis un confinamiento.

DARÍO.—¡Oh, alteza, qué palabra! Hacéis difíciles otras observaciones.

RIQUET.—¿Es que hay más?

DARÍO.—*(Tose, nervioso.)* El indumento de vuestra alteza no deja nada que desear...

RIQUET.—Menos mal.

DARÍO.—Convendría, no obstante... *(Tose.)*, un retoque.

RIQUET.—Veamos.

DARÍO.—Peinar y empolvar ese mechón de pelo... que, sin duda, con el ajetreo del viaje...

RIQUET.—¿El copete?

DARÍO.—Sí, alteza.

RIQUET.—Ni lo soñéis, canciller.

DARÍO.—*(Después de un momento, muy digno.)* No es protocolario.

RIQUET.—Lo lamento.

DARÍO.—Al sugerirlo, no tuve otra intención que la de favorecer a vuestra alteza.

RIQUET.—No lo dudo.
DARÍO.—¿Vuestra alteza no desea discutir ese punto?
RIQUET.—No.
DARÍO.—*(Cada vez más seco y digno.)* En ese caso, sólo me resta suplicarle que me acompañe a sus habitaciones.

(Señala el chaflán, con una reverencia.)

RIQUET.—*(Muy molesto ya.)* Cuando queráis.

(Inclinación.)

DARÍO.—*(Yendo a abrir el chaflán.)* Ya que la bondad de sus majestades sabe tolerar la presencia de ciertas personas pintorescas... *(Mira a* ORIANA.*)*, espero que disculparán ese detalle tan... personal del copete.
ORIANA.—*(Sonriente.)* No lo dudéis, caballero. Deben de sentirse muy cansados de protocolos.
DARÍO.—*(Sin dignarse contestarla.)* Príncipe...

(Se inclina. Ansiosos de ver a RIQUET, *los reyes irrumpen por la derecha. Cuando él se vuelve, componen su ademán. El* CANCILLER *se incorpora y los mira con disgusto.* ORIANA *se adelanta.)*

ORIANA.—Permitan vuestras majestades que les presente a su alteza real el príncipe Riquet.

(El CANCILLER *cierra la puerta del chaflán, con un consternado y no muy suave golpe.* RIQUET *se inclina tres veces y besa la mano de la* REINA. *Por la galería llegan las parejas, que ven la escena y se apresuran a bajar y a saludar, sin hacer caso de los furibundos gestos en contra del* CANCILLER. *Los reyes se miran, asustados de la fealdad de* RIQUET.*)*

REY.—Querido príncipe, a mis brazos. ¿Cómo están mis amados primos?
RIQUET.—Gozan de buena salud, señor, y envían a vuestras majestades sus respetos.
REY.—Debéis dispensar la sencillez de esta presentación. Este es el salón de recreo de nuestras hijas.
RIQUET.—Ha sido mía la culpa, por llegar de incógnito.
REINA.—*(Muy dispuesta a demostrarle su hostilidad inicial.)* Justo. Por llegar de incógnito. ¿Puedo preguntaros a qué se debe tan sorprendente proceder?
RIQUET.—La fama de la belleza y las virtudes que ador-

nan a su alteza real la princesa Leticia me han movido a este viaje, para solicitar de vuestras majestades su mano.

REY.—¡Ah! Muy bien. Muy bien. Todo se arregla. *(El* CANCILLER *emite una tos cavernosa. La* REINA *sisea a su esposo.)* Quiero decir que no me parece mal.

*(*RIQUET *se inclina.)*

REINA.—*(Displicente, a* RIQUET.*)* Nos hacéis un gran honor. Desde luego, es asunto que habrá de madurarse despacio...

RIQUET.—Tampoco yo querría violentar a la princesa ni apresurar una contestación. Sólo deseo de vuestras majestades el permiso para cortejarla.

REY.—Realmente... Planteada la cosa así... ¿Verdad, señora? *(Fulminado por la mirada de su mujer.)* Es decir, si nuestra hija no tiene nada que objetar.

ORIANA.—Nada más sencillo, si me permiten vuestras majestades, que preguntárselo.

DARÍO.—Naturalmente, más adelante. ¡Oh!

(Su exclamación la motiva la entrada, por la derecha, de LETICIA, *con los ojos bajos.)*

REY.—*(Carraspea.)* Hija mía, su alteza real el príncipe Riquet, aquí presente, acaba de llegar de su país y solicita nuestro permiso para... para...

(Mira a todos, indeciso.)

LETICIA.—¿Para cortejarme?

(Discretas risas de las parejas, acalladas por la mirada del CANCILLER.*)*

REINA.—*(Tragando saliva.)* Sí, hija mía.

REY.—¿Qué decís vos?

LETICIA.—Que ya lo sabía. Soy yo quien os lo dije.

(Turbación general y nuevas risas ahogadas.)

REINA.—¡Darío! Preparad la recepción debida.

DARÍO.—*(Muy contento.)* Sí, majestad. ¿Para mañana?

REINA.—Para dentro de cuatro horas.

DARÍO.—*(Triste.)* Sí, majestad.

(Se inclina y sale por la derecha.)

LETICIA.—¡Uf! Se respira.

REINA.—¡Leticia!

(LETICIA *se muerde los labios y la mira, acobardada.)*

RIQUET.—*(Ríe.)* ¡Admirable! Muy ingenioso. ¿Verdad, caballeros?
FÉLIX.—Sin duda, alteza.

(Las parejas ríen ahora francamente, autorizadas. LETICIA *se tranquiliza y sonríe a* RIQUET. *En el mirador ha aparecido* LAURA.)

LAURA.—*(Ríe también. Melosa.)* ¡Qué gracioso, señor! ¿Se os ocurre, ahora, traer un bufón? *(Silencio de muerte.* LAURA *baja y se acerca a* RIQUET, *que permanece impávido.)* El traje es demasiado rico. Si no fuese por su cara y ese mechón, se dudaría.
REINA.—*(Se le escapa una carcajada histérica; se reporta y dice.)* Callad, Laura.
REY.—Llevadla, Oriana.
LAURA.—¿A mí? ¿Por qué?
REY.—Habéis ofendido gravemente a nuestro huésped, el príncipe Riquet. ¡Retiraos!
LAURA.—*(Fingiendo —muy mal— turbación.)* ¡Oh! No sé cómo deciros, príncipe...
RIQUET.—Vuestras observaciones no me hieren, señora. Pudiendo ser vos mi futura cuñada, menos.
LAURA.—¿Cuñada? *(Se acerca a* LETICIA.) Un pretendiente... Mi enhorabuena, hermana. Lamento no haber visto desde el principio la alegría de vuestra cara. Habría comprendido.
LETICIA.—*(Iracunda.)* Lo sabías desde que entraste.
LAURA.—*(Sonriente, pero con los ojos echando chispas.)* ¿Cómo te atreves?...

(Atemorizada, LETICIA *mira a* RIQUET, *que sonríe para darle ánimos.)*

REINA.—¡Oriana, acompañad a la princesa!
LETICIA.—*(Con esfuerzo.)* Debieras retirarte, Laura... Sería una pena que el príncipe Riquet... empezase a creer... que eres tú el bufón de palacio.

(Respira, contenta. Mira a RIQUET, *que la felicita con un gesto. Sorpresa general.)*

REY.—*(Embobado, a* LETICIA.) ¡Hija!...
LAURA.—*(Sin reaccionar.)* ¿Qué?...

REINA.—¡Oriana!

(ORIANA *toma del brazo a* LAURA, *que se deja llevar, estupefacta, por un camino de reverencias. Salen las dos por el chaflán.)*

REY.—Príncipe...

RIQUET.—Ni una palabra, señor. Dentro de cuatro horas tendré el placer de ser presentado, por primera vez, a su alteza real la princesa Laura.

REINA.—*(Seca.)* Sois muy gentil. Tened la bondad de permanecer aquí. Os enviaremos a nuestro sumiller para que os acomode. Venid, Leticia.

(Reverencias. Los reyes salen por la derecha, seguidos de LETICIA. RIQUET *permanece en medio de la escena. Las parejas le saludan en silencio y suben a la galería. Desde allí lo miran y comentan, burlonas.* RIQUET *se vuelve, provocando un nuevo saludo repentino, que devuelve a su vez. Se van las parejas. Pausa. Melancólico,* RIQUET *va a recoger su tricornio y su capa. Comienza a oírse la suave música anterior. Rápida y juguetona,* LETICIA *entra de nuevo, mirando hacia atrás, como si se hubiese escabullido.)*

LETICIA.—¿Qué tal estuve?

RIQUET.—Admirable. Ya véis que no es tan difícil.

LETICIA.—Si me seguís ayudando, creo que podré transformarme.

RIQUET.—*(Dulce.)* Es una ayuda mutua la que hay que crear entre los dos, Leticia. Ya sabéis a lo que he venido. ¿Puedo... abrigar alguna esperanza? (LETICIA *baja la cabeza.)* Sería un sacrificio excesivo. Laura os lo ha dado a entender.

LETICIA.—Disculpadla...

RIQUET.—Queréis decir: disculpadme. Disculpadme por no poder aceptaros... con ese aspecto. *(Un silencio.)* Sin embargo, sólo el amor os hará revivir... y nadie os podrá amar, nunca, tanto como yo. *(Se acerca.)* ¿No sentís la tentación de vencer a todos los que hasta ahora os han desdeñado?

LETICIA.—*(En voz baja.)* Sí.

RIQUET.—Estáis temblando... Sabéis que sólo conmigo lograríais eso. Si supiérais que yo también tiemblo... Dudé mucho, antes de decidirme a venir para... conquistaros. Vuestro medallón me ha dado ánimos. ¿Sabéis quién me lo envió? Oriana.

LETICIA.—¿Oriana?

RIQUET.—Asistió también a mi nacimiento. Acompañó mi infancia. Un año antes de venir aquí, le dijo a mi madre: no os apuréis por el aspecto de Riquet, porque tendrá una gran inteligencia... y el don de transmitirla a la mujer que quiera.

LETICIA.—¿Eso dijo?

RIQUET.—Sí. Mi madre creía que era un hada, y se tranquilizó. ¿Sabéis lo que dijo, después, a la vuestra?

LETICIA.—No...

RIQUET.—Leticia podrá transmitir su hermosura al hombre a quien ame. *(Una pausa.)* La primera parte del sortilegio parece haber comenzado... ¿Sería tan grande mi suerte que me empezáseis a ver algo menos... desagradable? *(Breve pausa. Señalándola y señalándose, insinúa con lentitud:)* El amor aviva el espíritu del ser amado, y también hermosea sus facciones a los ojos de su pareja...

LETICIA.—¿Y a los ojos de los demás?

RIQUET.—¿Lo véis? Vuestro espíritu se ha despertado ya, porque sois amada. Las dos cosas, Leticia. El amor es un poder muy fuerte. ¡Hacedme hermoso con el vuestro! *(Ella lo mira, fascinada.)* Al menos, podéis mirarme ya. *(Ella retira la vista, entristecida.)* ¿No? *(Ella niega levemente, avergonzada.)* Lo comprendo. Habréis soñado aquí, muy a menudo, con la llegada de un príncipe encantador... ¿Verdad? (LETICIA *asiente.)* Sentada entre vuestros juguetes, imaginaríais que desde allí *(Por la galería.)*, hermoso y arrogante, os miraba. Y llegaríais más de una vez a volver vuestros ojos, con la ilusión de verlo... Y de pronto se presenta Riquet. El del copete. El bufón.

LETICIA.—*(Con las manos juntas.)* Os juro, Riquet, que desearía veros hermoso. ¡Os debo tanto ya!

RIQUET.—*(Con voz insegura.)* Pues bien, amada mía: miradme. *(Ella lo hace.)* El príncipe ha llegado. ¡Vuestro príncipe!...

LETICIA.—¡Si pudiera creerlo...!

RIQUET.—La fealdad se soporta peor de cerca. Quizá convenga al principio un poco de lejanía... para que se cumpla el sortilegio de Oriana. *(Se acerca a la silla donde dejó sus cosas. Vuelven a mirarse, primero, esperanzados; después, con tristeza creciente. Con un suspiro,* RIQUET *coge el tricornio y la capa.)* Permitid que me retire.

No quiero atribularos más por esta vez. *(Ella va a hablar.)* No. No digáis nada. Es natural.

(Se inclina y sube a la galería por el acceso de la derecha. LETICIA *lo ve partir, emocionada y descontenta de sí misma. Luego lo ve cruzar por el mirador. ¡Mas ya no es el feo* RIQUET, *sino un apuesto príncipe, que viste exactamente igual y en cuya cabeza brilla el copete de oro como una llama!)*

LETICIA.—*(Con asombro y alegría.)* ¡Riquet! (RIQUET *se detiene y la mira. Algo que ve en la mirada de ella hace que su dolorosa expresión se transfigure.)* ¡El sortilegio empieza!

TELON

ACTO SEGUNDO

En el mismo lugar.

(La escena, sola por unos momentos. Riendo, entra presurosa por la galería LETICIA. *Baja y espera.* FÉLIX *aparece en seguida en el mirador y baja tras ella.)*

LETICIA.—Se diría que me perseguís.

FÉLIX.—Se diría con razón, alteza.

LETICIA.—*(Acercándose, coqueta.)* ¿De veras? *(El da un paso hacia ella.)* ¡Quieto ahí! Debiérais agradecerme que yo conserve la sensatez que habéis perdido.

FÉLIX.—Preferiría que la perdiéseis.

LETICIA.—Si mi padre se enterase de esas palabras...

FÉLIX.—Espero que no se las diréis vos.

LETICIA.—Um... No os fiéis.

FÉLIX.—Pues bien, hacedlo.

LETICIA.—¿Presumís de valiente? ¿Y si se las dijese al príncipe Riquet?

FÉLIX.—¿Seríais capaz?

LETICIA.—*(Soñadora.)* Tranquilizaos... A Riquet no se las diría nunca.

FÉLIX.—*(Se le ilumina el rostro.)* Alteza... No me atrevo a interpretar esas palabras...

LETICIA.—Lo que quiere decir que lo habéis hecho ya. ¿En qué sentido?

FÉLIX.—Perdonad, pero... es tan maravilloso que aceptéis un secreto entre los dos...

LETICIA.—*(Fría.)* No me habéis entendido. Respeto demasiado al príncipe Riquet para disgustarle con esas bagatelas.

FÉLIX.—¿Bagatelas?
LETICIA.—Pues, ¿qué creíais?
FÉLIX.—*(Herido.)* Permitidme una pregunta, alteza. ¿Amáis al príncipe?
LETICIA.—Os excedéis, caballero.
FÉLIX.—*(Avanza.)* Es posible.
LETICIA.—*(Retrocede.)* ¡Os seguís excediendo!
FÉLIX.—No me importa.

(Avanza.)

LETICIA.—*(Retrocede.)* ¡Estáis a punto de cometer una locura!
FÉLIX.—Estoy seguro de que es vuestro deseo.
LETICIA.—¡Insolente!... ¡No os mováis!

(Retrocede, sin que él le haga caso, hacia el chaflán. En el mismo momento entra por él JORGE. *Un silencio.)*

JORGE.—¿Vuestra alteza deseaba salir?
LETICIA.—No... Ya, no.
JORGE.—*(Cierra la puerta y avanza.)* Si, por cualquier causa os sentís molesta..., no tengo que decir que estoy a vuestras órdenes.

(Entre FÉLIX *y él se cruza una mirada de odio.)*

LETICIA.—Gracias, caballero. No necesito nada.
JORGE.—Lo suponía.
LETICIA.—¿Qué queréis decir?
JORGE.—Sin duda, no recordáis la entrevista que me habíais concedido aquí, a esta hora. Vuestra alteza es olvidadiza.
LETICIA.—¡Y vos un impertinente!
FÉLIX.—Parece, alteza, que soy yo quien debe ponerse ahora a vuestras órdenes.
JORGE.—¡No deseo otra cosa!
LETICIA.—¡Basta, caballeros!
FÉLIX.—Perdonad, alteza. Pero debo decir que la odiosa coquetería de una dama no basta a autorizar a cualquier felón... a cualquier mal nacido...
JORGE.—¡Caballero!
LETICIA.—¡Basta, he dicho! *(Va al primer término.)* Que no vuelva yo a oír esas palabras de felón *(A* FÉLIX.) o de mal nacido *(A* JORGE.) en vuestras bocas. ¡Las personas que no vacilan en besar a sus... novias delante de un pobre ser inocente, no pueden pronunciarlas!

FÉLIX.—*(Rojo de ira.)* Os ruego vuestro permiso para retirarme.

LETICIA.—¡Aún no he terminado! Hablemos claro de una vez. He procurado reuniros a los dos para ello. Lleváis algún tiempo cortejándome con un ardor que antes reservábais para otras. Sin embargo, yo no he cambiado; no soy más hermosa que antes. ¿A qué se debe vuestro cambio, entonces?... ¿Calláis? Yo os lo diré. Se debe a que entonces era peligroso jugar con fuego porque yo podía... *(Recalca.)*, como una necia, quemarme y quemaros en el fuego. Ahora sé ya jugar ese juego peligroso, y vosotros sabéis que, si llegara a quemarme, sabría callar. ¡Pues bien, caballeros, os he traído aquí para deciros a los dos que no pienso quemarme!

JORGE.—*(Herido.)* Una venganza.

LETICIA.—*(Sonriente.)* No, amigos míos. No valéis tanto para mí. Es sólo una lección. Y un consejo: volved con Irene y Clotilde, a quienes tenéis injustamente abandonadas... *(Al ver a* LAURA, *que entra por la derecha.)*, ¡o con mi hermana!

LAURA.—*(Fría.)* ¿Puedo saber de qué se habla?

LETICIA.—De ti, naturalmente, querida Laura. Amonestaba a nuestros gentilhombres porque no te acompañan tan a menudo como antes.

LAURA.—Gracias. No los necesito. Podéis reuniros con las damas de honor. Antes, vuestras preferencias eran claras... ¿Es que han variado?

FÉLIX.—No, alteza.

LAURA.—Pues id con ellas.

JORGE. ¿Es una orden?

LAURA.—Sí.

LETICIA.—*(Rápida.)* No, Laura. Supón que yo les diese la orden contraria... Sería un conflicto. Que no se marchen. Dejemos descansar a las damas.

LAURA.—*(Venenosa.)* Y a los caballeros.

LETICIA.—Como gustes. Tendremos que entretenernos solas... ¿Se te ocurre algo?

FÉLIX.—Si vuestras altezas nos permiten retirarnos...

LETICIA.—*(A* LAURA, *inocente.)* ¿Con las damas?

LAURA.—Sí, con las damas. ¿Por qué no?

LETICIA.—Me haces feliz, hermana. No me atrevía a esperar que aceptases una partida entre nosotras. *(Se acerca a la mesita.)* Juguemos.

(Sorpresa de todos.)

LAURA.—¿Qué?...
LETICIA.—*(Con su tono más ingenuo.)* ¿Te arrepientes?
LAURA.—*(Después de un momento.)* ¡No!

(Se acerca, decidida, a la mesita. Los caballeros se miran y deciden quedarse, acercándose. Ofrecen los asientos y las princesas se sientan.)

LETICIA.—Siempre quise que me enseñases a jugar. Tú eres maestra en este juego... Sal.
LAURA.—Como quieras.

(Lo hace. LETICIA *mueve en seguida. Pausa.* LAURA *mueve.* LETICIA *mueve en seguida.)*

LETICIA.—Disculpa si me equivoco... Como soy tan aturdida, no pienso las jugadas.

(LAURA *mueve.* LETICIA *mueve.)*

JORGE.—*(A* LETICIA.*)* Podéis comer, alteza...
LAURA.—¡Silencio! Es una prueba.

(Mueve.)

LETICIA.—*(Mueve y ríe.)* ¡Qué divertido! No comprendo nada. ¿Qué decíais, Jorge?
JORGE.—Nada, alteza.
LETICIA.—Aconsejadme, Félix...
LAURA.—Está prohibido.
LETICIA.—¡Qué egoista! Si me vas a ganar de todos modos...
LAURA.—Tú lo habrás querido. *(Mueven un par de veces más.)* ¡Tomo!

(Come una ficha.)

LETICIA.—Ah, ¿toca ya comer? Entonces, yo también.

(Come, rápidamente, cuatro fichas. Los caballeros se miran. Ellas, también. LAURA *se levanta de pronto, y* LETICIA *la imita. Con un rabioso manotazo,* LAURA *tira al suelo el estuche de plata y cruza la escena.* LETICIA *lo recoge con delicadeza y, mirándola, lo deja sobre la mesa con un suave y exacto movimiento.)*

LAURA.—¿Es Riquet quien te ha enseñado?
LETICIA.—¡Si ha sido casual!

LAURA.—¡No! Has aprendido... ¡y mucho! Y la culpa es de ese aborto espantoso.
LETICIA.—¿Te refieres a Riquet?
LAURA.—¡Sí!
LETICIA.—*(Con perfecta convicción.)* Riquet es el príncipe más gallardo del mundo.
LAURA.—*(Riendo.)* ¿Gallardo? ¿El horrible Riquet, el del copete? ¿Habéis oído, caballeros?
LETICIA.—*(Se sienta de nuevo, desdeñosa.)* ¡Qué sabéis vosotros!...
LAURA.—*(Se acerca.)* No intentes engañarnos. Sabes de sobra que cojea al andar.
LETICIA.—*(Soñadora.)* Es que es elegante en sus movimientos...
LAURA.—¡Es chepudo!
LETICIA.—Es educado, y se inclina para hablar con los demás.
LAURA.—¡Su cara da espanto!
LETICIA.—Da respeto, como la de un dios.

(El horrible y contrahecho RIQUET *ha aparecido en el mirador un segundo antes.)*

RIQUET.—Parece que se habla de mí.

(Saluda a LAURA. *Los caballeros le hacen la reverencia.)*

LAURA.—¡Mírale!
LETICIA.—No hace falta.
LAURA.—Di mejor: ¡no te atreves! ¡Temes verlo como es!
LETICIA.—Le veo como es.
LAURA.—Pues míralo. (LETICIA *comienza a mostrarse inquieta.)* ¿No?
RIQUET.—La conversación promete, encantadora Laura.
LAURA.—Mucho más de lo que creéis, encantador Riquet. Seguidme, caballeros. La feliz pareja prefiere quedarse sola, para seguir mintiéndose inteligencia... y belleza.

(Sube por el acceso derecho, acompañada de FÉLIX *y* JORGE.)

RIQUET.—*(Saludándola cuando se supone que se aleja.)* Gracias, señora. *(Suave melodía de violines.* LETICIA *ha permanecido reclinada, con los ojos cerrados y la expresión soñadora.* RIQUET *la observa desde el mirador.)* ¿No quieres que vayamos al estanque? Lo habíamos acordado.

LETICIA.—Ven antes...

(RIQUET *desaparece y levanta la cortina del acceso izquierdo, por donde baja. Se acerca lentamente, convertido en el arrogante príncipe que* LETICIA *creyó ver al final del acto anterior.)*

RIQUET.—*(Disfrazando s uturbación.)* ¿No quieres mirarme?

RIQUET.—Sí.

(Levanta despacio sus párpados y le mira. Sonríe.)

RIQUET.—¿No mienten tus ojos? (LETICIA *deniega, amorosa.* RIQUET, *triste, se reclina en el respaldo para que ella no lo vea.)* Ella está en lo cierto.

LETICIA.—*(Eleva su mano para que él la tome.)* No...

RIQUET.—*(Se la acaricia.)* Has olvidado lo que te parecí cuando llegué. — — — — — —

LETICIA.—¡Estaba ciega!...

RIQUET.—*(Frío.)* Tal vez.

(Abandona su mano.)

LETICIA.—*(Se levanta y se estrecha contra él.)* ¿Por qué no me crees?

(El se desvía, apenado.)

RIQUET.—¿Qué soy para ti ahora, di?

LETICIA.—Eres mi amado, que he esperado, llena de pena, durante años y que, al fin, ha venido... para abrir mis ojos.

RIQUET.—Tu ceguera vuelve cuando estamos acompañados.

LETICIA.—*(Baja la cabeza.)* Es cierto. Vuelve alguna vez. *(Lo mira.)* Y eres tú quien lo hace posible.

RIQUET.—*(Amargo, señalando su cara.)* No has debido decirme eso.

LETICIA.—¡No me has comprendido! *(Se acerca.)* Riquet... Yo no soy nada sin ti. Tú has hecho vivir en mí la inteligencia dormida... y el amor. Si dudas de ti, ¿cómo tendré yo fe? Lo intento, pero no siempre lo consigo. ¡Ayúdame! Tú serás para mí el hombre más gallardo, como lo eres ahora..., mientras quieras serlo. *(Le echa los brazos al cuello. Se abrazan.)* Todos los prometidos se ven a veces feos. O necios. Es el cansancio del amor, que así toma fuerzas para querer más... Creamos el uno en el otro, y nuestra verdad será una gran verdad

RIQUET.—¡Tú eres mi gran verdad!

LETICIA.—*(Sonríe mimosa, y se aparta.)* ¿Está ya contento mi dueño?

RIQUET.—Perdóname...

LETICIA.—¡Calla, bobo! Vamos al estanque.

(Le toma una mano y tira de él.)

RIQUET.—*(La retiene.)* Leticia. *(Ella se para y atiende. Con la voz velada:)* Llevo tres meses a tu lado... Nuestra prueba de fe mutua ha sido victoriosa... ¿No crees que podríamos pensar ya en nuestro enlace?

LETICIA.—*(Se echa en sus brazos.)* ¡Riquet!

RIQUET.—Gracias, amor mío. Ya no dudaré. Vamos.

(Suben, enlazados, por el acceso de la derecha. Se detienen en el centro de la galería, para mirar al parque. La música cesa.)

LETICIA.—Mira. Se acerca un hombre a la verja del parque.

RIQUET.—Viene al galope.

LETICIA.—Será algún correo. ¿Qué noticia traerá?

RIQUET.—¿Qué nos importa? Ninguna noticia puede hoy ser más grande que la nuestra. Esta noche hablaremos a tus padres.

(Salen, por la izquierda, arrobados. Por la derecha del mirador asoma LAURA, *que los ve alejarse con rencor.* ORIANA *entra por la derecha y la mira.)*

ORIANA.—Laura. *(La* PRINCESA *la mira, para volver a mirar con fijeza a los que se alejan.)* Ven conmigo. (LAURA *baja, despacio, con la cara nublada.)* ¿Qué tienes?

LAURA.—Nada.

ORIANA.—Las penas no deben guardarse. Hacen daño dentro. ¿No quieres confiarte a mí? Sabes que te quiero bien... Déjame ayudarte. *(Breve pausa.)* Nadie ha de saber lo que tú me digas... *(La reclina sobre su pecho.)* Descansa... ¿Qué te ocurre? ¿Qué deseas?

LAURA.—Quiero casarme con Riquet. (ORIANA *la aparta y la mira con fijeza.)* ¡Quiero casarme con Riquet!

ORIANA.—*(Seca.)* Lo presumía. ¿Lo amas?

LAURA.—¡Lo odio! El es el culpable de todo. Llegó, y la vida cambió para mí. Leticia se transformó, me abandonaron los gentilhombres... Ya no soy más que el monstruo de la casa.

ORIANA.—No digas esas cosas terribles... Tú eres mi preferida.

LAURA.—¡Tu predilecta es Leticia!

ORIANA.—Te engañas.

LAURA.—¿Sí? Ayúdame entonces. ¡Quiero a Riquet para mí!

ORIANA.—Leticia tiene ahora su oportunidad. No se la estorbes.

LAURA.—*(Con maliciosa sonrisa.)* Luego reconoces que podría quitárselo.

ORIANA.—No he dicho eso.

LAURA.—¡Lo reconoces! Sabes que él es mi pareja. Es inteligente y horroroso, como yo.

ORIANA.—Pero lo odias.

LAURA.—Odio más a mi soledad de mujer. Con él terminaría. Y no habrá ningún otro príncipe que quiera aceptarme.

ORIANA.—Tampoco él.

LAURA.—¡Yo le obligaré a hacerlo!

ORIANA.—¡Calla, loca! Es a tu hermana a quien odias, y quieres herirla con más fuerza que nunca... ¡Mi pobre niña! Es necesario que dejes para siempre esa agonía inútil. Si no, te destruirás... *(Se acerca y la habla en voz baja.)* Junto a mí, en la torre, encontrarías tantas cosas bellas con las que llenar tu vida... Tu destino no es el del matrimonio, Laura.

LAURA.—¿Cuál es?

ORIANA.—El de jugar, como una niña, a los muñecos.

LAURA.—¿Como hacía Leticia? ¡Nunca!

ORIANA.—Como hago yo. Tu destino es el mío. Serás una niña eterna y aprenderás a jugar con muñecos vivos.

LAURA.—*(La mira con los ojos dilatados.)* No me asustes. No quiero que me asustes.

ORIANA.—*(La toma de una mano y la conduce al sofá.)* Voy a contarte una historia extraña. La mía. *(Pausa.)* A tu edad, yo era fea... y necia. Por eso os quiero a las dos.

LAURA.—Tú no eres fea...

ORIANA.—Lo fuí. Ni siquiera como a un animal, para su placer, me quería nadie en el mesón donde trabajaba.

LAURA.—¿Trabajabas?

ORIANA.—Fregaba suelos, limpiaba el corral, ordeñaba las vacas; hacía cosas que tú ni siquiera sabes nombrar, a todas horas. Mi aspecto causaba espanto. Mis torpezas, risas. Y los niños, los candorosos y crueles niños, me apedreaban por las calles.

LAURA.—¿Qué dices?

ORIANA.—*(Sonriente.)* Yo era pobre y huérfana. Harían lo mismo contigo si no fueses quien eres.

LAURA.—¡Calla!

ORIANA.—Un día no pude más y me refugié en un convento. La abadesa era una mujer entera, que me tomó cariño. Mi vida cambió. Serví por su mediación en casas nobles. Conocí gentes muy diversas que frecuentaban los salones. Algo vió en mí uno de ellos, un médico famoso, y me incitó a estudiar. Lo hice, y lo encontré fácil. Adquirí con los años fama, y los príncipes me llamaron a su lado. Se decía de mí que era un hada llena de poderes.

LAURA.—Pero no lo eres.

ORIANA.—Todo depende del punto de vista.

LAURA.—*(Muy intrigada.)* ¡Sigue!

ORIANA.—Durante todo aquel tiempo quise ser amada. Es un deseo muy fuerte, tú lo sabes. Tan fuerte, que puede obrar milagros. Por él se despertó mi inteligencia, como se ha despertado en tu hermana. Se despertó lo bastante para comprender que... si no llegaba a tener un poco de belleza, el amor me sería negado.

LAURA.—¿Y lo conseguiste?

ORIANA.—La voluntad de belleza es muy grande... Llega, con el tiempo, a endulzar las facciones y a dar nueva arrogancia a la figura...

LAURA.—¡Yo también lo haré!

ORIANA.—No, Laura. La juventud pasa antes. Cuando lo conseguí, me encontré conque... ya era vieja. Cuando tu cara sea dulce, tú serás vieja también... Quizá sea la vejez la única que puede dar esa dulzura... a mujeres como nosotras.

LAURA.—¿Entonces?

ORIANA.—Entonces, la torre. Los muñecos vivos... Los demás. Convertirse, a fuerza de estudio y de abnegación, en un hada amorosa para los otros. *(Lenta.)* Y hacerse inteligente y bella en los muñecos que movemos como si fuesen hijos nuestros, ya que no los tuvimos de nuestra carne.

(Pausa.)

LAURA.—¡Tú hiciste que viniera Riquet!

ORIANA.—Sí.

LAURA.—¡Quisiste vencer en ellos! ¡Vengarte en ellos de lo que la vida te había negado!

ORIANA.—Con la venganza mejor, que es la del bien.

LAURA.—*(Seca.)* Sí. Conozco ese rumor. El don que les concediste en su cuna. El sortilegio de Oriana, que comenta todo palacio. Ella se hará lista y él bello. *(Transición.)* ¿Y yo? ¿Qué don reservaste para mí? ¿No viste en mí otra gracia remediadora? ¿Otro Riquet, gallardo, que me trajese su belleza?

ORIANA.—No.

LAURA.—*(Grita.)* ¿Por qué?

ORIANA.—Ese es uno de los misterios mayores. El hombre no puede dar belleza, ni la mujer talento.

LAURA.—¿Qué dones me diste entonces en mi cuna?

ORIANA.—La bondad, el desprendimiento, la dulce vejez sin hijos, porque todos serán hijos tuyos; muñecos vivos a quienes cuidar...

LAURA.—*(Sombría.)* La torre.

ORIANA.—La torre.

LAURA.—Tu sucesora.

ORIANA.—Sí.

LAURA.—*(Se levanta con violencia.)* ¡No! ¡Me niego a ello! ¡Lucharé, y Riquet será mío!

ORIANA.—*(Se levanta a su vez.)* No podrás.

LAURA.—Mentirosa bruja... ¡Cállate! ¡Todo lo que dices son mentiras! ¡Locuras de tu cabeza trastornada! ¡Eres incapaz de hacer el menor hechizo! ¿La torre? ¡Oyelo bien: nunca la pisaré!

ORIANA.—Me das pena... Allí te esperaré.

LAURA.—¡No esperes nada! ¡Tampoco esperes que se cumpla el sortilegio de Leticia y Riquet!

ORIANA.—Se ha cumplido ya.

LAURA.—*(Ríe.)* ¡Ilusa! Leticia es ahora discreta porque estaba en su naturaleza serlo. ¡Pero nunca lograrás que los demás veamos hermoso a Riquet!

ORIANA.—¿Eso dices? *(Se acerca.)* Pues escúchame. Yo te digo que no pasará mucho tiempo sin que otras personas lo vean hermoso.

(Se miran fijamente. En el mirador aparecen la REINA JUANA *y el* CANCILLER DARÍO.*)*

REINA.—Me da miedo veros juntas, Oriana.

DARÍO.—¡Bah, señora! ¡Miedo!

(ORIANA *hace la reverencia. La* REINA *y el* CANCILLER *bajan.)*

REINA.—¿Qué misterios metes ahora en la cabeza de mis hijas?
DARÍO.—¡Oh, señora! ¡Misterios!
REINA.—Silencio, Darío. Tengamos tranquilidad. *(Se sienta.)* Ven aquí, Laura. ¿Qué te sucede?
LAURA.—*(Seca.)* ¿A qué habéis venido, madre?
REINA.—¿Te atreves a reprochármelo? He venido a velar por vosotras; entérate. ¿Qué sería de vosotras si yo no viniese de vez en cuando a saber cómo os va? ¿Y cómo te va, hija?
LAURA.—Bien.
REINA.—¿Sí? Por tu cara se diría lo contrario. ¿Y tu hermana?
LAURA.—En el parque, con su prometido.
REINA.—¿Te refieres a Riquet?
LAURA.—¿A quién, si no?
REINA.—Claro. Sólo que no es su prometido. ¡Ca! Nada de eso. Aquí estoy yo, para impedirlo. Antes, cuando la pobre era tonta, nos hacía un favor con aceptarla. ¿Qué otro remedio había? Pero ahora Leticia podría elegir un príncipe más decorativo.
ORIANA.—Temo, señora, que vuestro punto de vista sea peligroso. Causaríais un tremendo dolor a la princesa si...
REINA.—*(Terminante.)* Se consolaría pronto.
DARÍO.—Sobre todo, teniendo en cuenta la gran inteligencia que su alteza ha desarrollado ahora.
LAURA.—*(Maligna.)* ¿Qué opinas, Oriana? Parece que todos estamos de acuerdo.

(ORIANA *vuelve la cabeza disgustada.)*

REINA.—¿De acuerdo? ¿A qué te refieres?
ORIANA.—*(Con decisión.)* La princesa Laura acaricia la idea de casarse con el príncipe Riquet.
DARÍO.—¡Hola!
REINA.—*(Escandalizada.)* ¡Qué idea! *(Se levanta y pasea. Mira a* LAURA.*)* ¿Con Riquet?
LAURA.—Sí, madre.
REINA.—*(Perpleja.)* ¡Qué idea!

(Pasea.)

DARÍO.—¡Qué... buena idea!

ORIANA.—*(Inquieta.)* Proponerle ahora eso a Riquet sería un insulto, majestad. Y, para la princesa Leticia, un golpe muy fuerte.

DARÍO.—Sería una alianza más para el reino, y muy conveniente. Las opiniones de las gentes vulgares y sentimentales quizá fuesen adversas a un enlace tan... atrevido. Por fortuna, el Estado está en manos hábiles y no se dejará torcer por criterios de... charlatanas.

ORIANA.—Todo cuanto se intente en contra será inútil, majestad. Ellos se casarán.

REINA.—¿Por qué?

ORIANA.—Porque lo sé, señora.

DARÍO.—Porque lo sabe, señora. Y porque quiere que se cumpla su sortilegio.

ORIANA.—¡No os riáis de los sortilegios, canciller! Podríais enredaros en alguno cuando menos lo penséis.

DARÍO.—*(Retrocede instintivamente.)* ¿Yo?

ORIANA.—*(Amenazante.)* Sí, vos. *(Le mira con insistencia.)* Muy bien pudiera ser que... lo estuviéseis ya. Creo notarlo.

REINA.—¡Oriana, nos asustas!

DARÍO.—¡Bah, señora! ¡Asustar, asustar! *(Pero retrocede.)*

ORIANA.—*(Avanza.)* Sí, no hay duda. ¿No notáis un dolor en la cabeza, canciller?

DARÍO.—*(Inquieto.)* ¡Señora, los dolores de cabeza no son protocolarios!

(Se la toca, nervioso.)

ORIANA.—Pero lo notáis. Y en el cuello. (DARÍO *se toca el cuello.)* Es el sortilegio, que empieza.

REINA.—*(Intrigadísima.)* ¿Y qué significa?

ORIANA.—Significa... *(Sonríe y se aleja de* DARÍO.) ...que el canciller es un necio, señora.

DARÍO.—¡Oh!

(Se aparta, ofendido, y se toca el cuello con disimulo.)

ORIANA.—Es inútil, señora. Lo que está escrito ocurrirá. Ahorrad a los príncipes dolores y desilusiones sin objeto..., incluída la princesa Laura. Con vuestro permiso, majestad. *(Se inclina y se encamina al chaflán.)* Adiós... canciller.

(Sale.)

LAURA.—*(Triunfante.)* ¡No hay nada escrito, madre! ¡No la creáis! ¡Ha querido marcharse después de un golpe de efecto, pero se ha ido con miedo! ¿Me ayudaréis?

REINA.—Quizá, hija mía... Lo consultaremos con el rey. ¿Habrá vuelto ya del bosque?

DARÍO.—Hace media hora sonaron las trompetas en el patio de armas. Creo, señora, que estamos en el mejor momento para informarle de las noticias de ayer. *(Tose.)* Con los retrasos habituales de los postillones, los acontecimientos podrían adelantarse, y...

REINA.—Cierto. Vamos a verle. Adiós, hija mía.

LAURA.—¿Puedo esperar, señora, que habléis ahora mismo a mi padre de mis deseos?

REINA.—*(Con una risita.)* Pudiera ser... ¿Verdad, Darío?

DARÍO.—*(Ríe también y tose.)* Tendré un verdadero placer, alteza, en defender vuestra causa ante su majestad.

(Se inclina.)

LAURA.—Gracias, señor.

REINA.—*(Con otra misteriosa risita, mirándola.)* Vamos, canciller.

(Sale por la derecha. LAURA *se inclina.* DARÍO *se inclina también ante ella y sale tras la* REINA. LAURA *se incorpora, rápida, y se vuelve para subir a la galería. Por el acceso izquierdo baja en el mismo momento el horroroso príncipe* RIQUET. *Ella se inmuta y suspira, contenta del encuentro.* RIQUET *viene, presuroso y abstraído, con un papel en la mano, que no deja de mirar.)*

LAURA.—*(Se interpone.)* ¡Riquet!

RIQUET.—Perdonad, señora. No puedo detenerme.

LAURA.—¿Me evitáis?

RIQUET.—*(Se para, sin comprender.)* Nada de eso. Es que debo dar órdenes urgentes a mi criado.

LAURA.—¡Ah! Sin duda son más importantes que lo que yo os pueda decir.

RIQUET.—*(Reprime su impaciencia.)* También he de hablar a sus majestades. ¿Me permitís?

(Un silencio. Inicia la marcha otra vez.)

LAURA.—*(Desconcertada, se acerca.)* Os advierto... que es muy importante... lo que quiero deciros...

RIQUET.—*(Con triste sonrisa.)* Seguro que no, Laura; seguro que no. Excusadme.

(Sale por la derecha, rápido.)

LAURA.—*(Perpleja.)* ¡Riquet!...

(Sale tras él. Pausa. En la galería irrumpe IRENE *por la derecha, entre risas, y* FÉLIX *tras ella. Se asoman al parque.)*

IRENE.—Parece que llega una carroza.
FÉLIX.—No. Es alguien que se va.

(CLOTILDE *entra corriendo por el chaflán y los ve.)*

CLOTILDE.—¿Quién se va?
IRENE.—Nadie. Llega una carroza con un cortejo a caballo. Ven y lo verás.

(CLOTILDE *sube a la galería y se asoma.)*

CLOTILDE.—¡Vamos a la verja a verlo!

(Huyen las dos, entre risas, por la izquierda.)

FÉLIX.—¡Eh, un momento! ¡Que yo voy también! ¡No corráis!...

(Corre tras ella. Breve pausa. Por el chaflán entra ORIANA *y se dirige, con la cara nublada, hacia la derecha.* JORGE *aparece por la derecha del mirador. Al sentirlo, ella se vuelve.)*

JORGE.—Perdonad, señora. ¿Podríais decirme de quién es el cortejo que hay en la verja? ¿Es que viene alguien importante?
ORIANA.—*(Triste.)* No. Se va.
JORGE.—¡Ah! Sin embargo, señora, yo diría que viene... Disculpadme.

(Se va presuroso por la izquierda de la galería. ORIANA, *apenada, continúa hacia la derecha.)*

ORIANA.—Se va... Se va. *(Cuando llega a la puerta se abre ésta y aparece* RIQUET, *cuya gallardía se muestra ahora, más que nunca, ennoblecida por el dolor. Trae su capa al brazo y el tricornio en la mano. Cierra, y ambos se miran durante un segundo.* ORIANA *llora.)* ¿Es cierto?
RIQUET.—No llores.

ORIANA.—La encontrarás con vida.
RIQUET.—¿No puedes decirme nada más?
ORIANA.—*(Bajando la cabeza.)* No.
RIQUET.—*(Suspira.)* Cuida de Leticia. Mi madre era la única persona que gustaba de verme... y va a morir. Si perdiese a Leticia, me quedaría solo.
ORIANA.—No la perderás. Estáis unidos por el mismo sortilegio.
RIQUET.—*(Triste.)* Ya ves que no hay sortilegios, Oriana.
ORIANA.—*(Conmovida.)* ¡Sí los hay! Ahora, que me creo más madre tuya que nunca..., yo también lo experimento. ¡Y mis ojos te ven como te ven los de Leticia!...

(Le abraza.)

RIQUET.—*(Emocionado.)* Oriana...

(Se oye la voz lejana de la princesa.)

LETICIA (Voz de).—¡Riquet! *(Ellos se separan, inquietos.* LETICIA *aparece en la galería y los ve. En seguida baja, dichosa.)* ¡Riquet! ¡Por fin te encuentro! ¡No sé estar sin ti!
RIQUET.—Leticia, escúchame...
LETICIA.—¿Disculpas? No. Me has hecho sufrir demasiado... Comprendo que te llamarían para algo importante, pero no has debido dejar que viniese yo a buscarte. ¡Ingrato! *(Ríe.)* No me mires así, bobo... ¡Es una broma! Ven. Vamos a la galería. Viene alguien, ¿sabes? Hay carrozas en la verja y criados de librea, a caballo. *(Un silencio.)* ¿Qué..., qué te ocurre? *(Mira a los dos.)* ¿Por qué estáis así?
RIQUET.—Ayúdame, Oriana.
ORIANA.—Tus ojos te han engañado, niña. No es que venga nadie. Es que alguien... se va.

(LETICIA *los mira, sin querer comprender.* ORIANA *se aparta.)*

LETICIA.—*(Con la cara descompuesta, a* RIQUET.) ¿Tú?
RIQUET.—Parto ahora mismo. Mi madre se muere. El correo cuyas noticias desdeñábamos era para mí.
LETICIA.—*(Corre a sus brazos, entre sollozos.)* ¡No!
RIQUET.—Ella deseaba tanto conocerte...
LETICIA.—¡No morirá! *(A* ORIANA.) ¿Verdad, Oriana? Tú, que puedes tanto...

(ORIANA *desvía los ojos, acongojada, y sale por la derecha.)*

RIQUET.—Nadie puede luchar contra la muerte... (LETICIA *llora en sus brazos.)* Me he despedido ya de sus majestades, que me han autorizado para decirte adiós a solas. Aún tenemos unos momentos, Leticia. Son cortos, pero en ellos puede estar toda nuestra vida.

LETICIA.—¿Toda nuestra vida?

RIQUET.—Sí. Porque podrían ser los últimos.

LETICIA.—*(Le abraza más fuerte.)* ¡No digas eso! ¡Si va a ser así, quédate! ¡Aunque me reproches mi egoísmo toda la vida, quédate! ¡No quiero perderte! *(Exaltada.)* ¡Ven!... *(Lo conduce al sofá. Se sientan.)* Déjame calmarme... y escucha... ¿Ves? Ya no ocurre nada. Tu madre se ha repuesto mientras llegaba la carta y espera nuestra boda. Estamos aquí juntos, como otras veces, realizando el más maravilloso de los conjuros para salvar nuestro amor... Ya está. Este es un día igual a los anteriores, en el que nos repetiremos a cada momento: ¿Será posible querer más al momento siguiente?... Y cada nuevo instante nos traerá el milagro del cariño aumentado. ¿Lo oyes? Te quiero... Y ahora te quiero más... Y más... Te quiero, Riquet mío, te quiero... *(Se le quiebra la voz.)* Te quiero...

(Prorrumpe en sollozos y esconde la cara entre las manos.

RIQUET.—*(Triste, la acaricia.)* No hay conjuros, Leticia. La vida no es un cuento de hadas. Y yo debo partir. Seca tus lágrimas. No me quites el valor que necesito. Te dejo sola... y no sé si me olvidarás.

LETICIA.—¿Cómo puedes decirlo?

RIQUET.—Lo digo porque eres un alocado pajarillo, hambriento de cariño, que ha aprendido en estos meses a volar... Quién sabe si, en los siguientes, el pobre maestro que te enseñó será recordado tan sólo con una piadosa sonrisa. Yo... soy horrible, Leticia. No te lo parezco, porque soy el hombre que ha despertado tu corazón. Pero te he visto reír, complacida, las galanterías de tus gentilhombres...

LETICIA.—*(Se le ilumina el rostro. Sonríe.)* Tus celos me hacen feliz.

RIQUET.—¿Celos?...

LETICIA.—¡Bobo! Félix y Jorge no han sido más que los medios necesarios para aprender un poco de coquetería.
RIQUET.—Temo a esa coquetería.
LETICIA.—¡También entraba en el aprendizaje! Toda mujer necesita un poco de eso. *(Con gracia.)* Escuchad, grave preceptor mío: ¿permitís que vuestra discípula os dé una humilde lección?
RIQUET.—¿Cuál es?
LETICIA.—Esta. Si una no es un poco coqueta con los Féliz y los Jorges, no logrará encadenar a su Riquet.
RIQUET.—*(Serio.)* El maestro también tiene una lección que dar: cuando una mujer sabe que ha encadenado a su Riquet, comienza a interesarle más un Félix cualquiera. *(Ella lo mira, herida.)* El corazón de la mujer es mudable... Ponéis al cielo por testigo de vuestro cariño, lloráis... Y sois tan impresionables, que vosotras mismas creéis en la sinceridad de vuestras protestas. A veces, no pasa un día sin que caigáis en los brazos de otro.
LETICIA.—*(Acongojada.)* ¡No es verdad!
RIQUET.—Lo es. Perdona estas dudas mías, Leticia. Sé que no son delicadas, ni siquiera hábiles. Pero en tu cariño hacia mí, que no merezco y que tanto te agradezco, ha habido algo... torturante, que ahora, al marcharme, no puedo olvidar.
LETICIA.—*(Muerta de ansiedad.)* ¿A qué te refieres?
RIQUET.—Tú nunca has tenido celos de mí.

(Un silencio. RIQUET *se levanta.)*

LETICIA.—*(Se levanta también.)* ¡Perdóname! ¡Yo ahora no sé, no comprendo nada! ¡Sólo sé que te vas! ¡Te vas! Y yo no he sabido darte la seguridad de mi cariño. Pues bien, ¡subiré a la torre con Oriana y no veré a nadie! Te esperaré allí toda mi vida, si es necesario.
RIQUET.—No. Debes seguir viviendo en la corte y afrontar la prueba de la ausencia. Si la cadena que nos unía se rompe..., señal de que no era lo bastante fuerte.
LETICIA.—*(En voz baja.)* Tengo miedo.
RIQUET.—*(Se acerca.)* Leticia mía... ¿Recuerdas la primera vez que nos vimos? Fué aquí mismo.

(Suave música de violines.)

LETICIA.—Sí...
RIQUET.—Eras como una niña simple y apenada. Me ense-

ñaste el rincón donde sufrías siempre, y no quisiste enseñarme tu muñeco. ¿Recuerdas?

LETICIA.—Sí.

RIQUET.—*(Sonriente.)* También yo quiero preparar mi conjuro, aunque dude de su eficacia. Voy a tratar de encadenarte.

LETICIA.—¡Oh, sí! ¡Hazlo!

RIQUET.—¿Puedes traerme aquel muñeco? *(Asombrada,* LETICIA *va al armarito y lo saca.* RIQUET *se acerca.)* Quiero dejarte tal como te encontré. Con el muñeco en tus brazos. Vuélvete niña otra vez, Leticia. Juega con él en mi ausencia. Pero ahora, con esperanza y alegría. Trae. *(Coge el muñeco y saca algo de un bolsillo.)* No te rías de mi pobre conjuro; no tengo otro. Pensé en hacerlo desde... entonces. Y ahora lo he preparado, en un momento, con mi propio cabello.

(Le entrega el muñeco, en cuya cabecita ha clavado un pequeño copete de pelo rubio.)

LETICIA.—*(Conmovida.)* Riquet...

RIQUET.—Él te querrá por mí... *(Transición.)* Debo partir.

(Recoge su sombrero y su capa.)

LETICIA.—*(Oprimiendo el muñeco entre los brazos.)* ¡Vuelve!...

RIQUET.—Volveré. Y pronto. Aquello no durará mucho... *(Se acerca y la enlaza por el talle.)* Gracias por estos tres meses admirables, mi princesita... Despidámonos aquí. Es mejor.

LETICIA.—¡Déjame acompañarte hasta la verja!

RIQUET.—Hasta la galería solamente. Nuestra galería... Espérame durante... el luto real. Dentro de tres meses, el quince de junio, me volverás a ver en ella.

(Se encaminan al acceso derecho.)

LETICIA.—*(Mientras suben.)* Tu madre vivirá, Riquet.

RIQUET.—Reza por ella. *(Reaparecen en la galería.)* ¡Leticia!... *(Se abrazan larga, desesperadamente.* RIQUET *se desase, brusco.)* Adiós.

(Sale por la izquierda. LETICIA *da unos pasos tras él, luego corre al centro y se asoma. Los violines callan. Breve pausa.* LETICIA *levanta la mano y saluda.)*

LETICIA.—¡Vuelve!...

(Está llorando. Durante la escena siguiente saluda de vez en cuando a RIQUET, *que se aleja. Por la derecha entra* LAURA, *seguida de* ORIANA.)

LAURA.—No ha querido despedirse de mí. ¡No importa! Ahora será mío. Estoy segura.

ORIANA.—*(Apenada.)* ¡Calla!

LAURA.—¡Tú lo verás! Este es el principio del fin. Y va a empezar aquí. Ahora mismo.

ORIANA.—¿Qué quieres decir?

LAURA.—Ten paciencia. O adivínalo. ¿No eres adivina?

ORIANA.—¿Qué te propones?

LAURA.—¿Yo? Nada. Ls cosas vienen solas... Atiende.

(Por el chaflán entran, apresuradas, las dos parejas. Al ver a la princesa, se inmutan y saludan con cierta turbación.)

LAURA.—*(Burlona, señalándoles a* LETICIA.) La princesa se despide; habéis llegado tarde. Si queréis, podéis retiraros. *(Las parejas se miran, indecisas.)* ¿Preferís quedaros?... No me parece mal.

(DARÍO *entra precipitadamente por la derecha y saluda.)*

DARÍO.—Disculpe vuestra alteza... Sus majestades se han empeñado en venir a este salón... Es una violación excesiva ya de la etiqueta... A mí me va a dar algo... Convendría que las damas de honor y los gentilhombres de cámara se retirasen en seguida.

LAURA.—Yo ordeno que se queden.

DARÍO.—Os lo suplico, alteza... Ya que el salón carece de requisitos, al menos, los asistentes...

LAURA.—Igual que el salón. Sin requisitos. Que se queden.

DARÍO.—¡La Monarquía no podrá durar con esta... romántica manera de proceder!

LAURA.—Si tanto os disgusta, retiráos vos.

DARÍO.—¡De ninguna manera! Debo velar por la corona.

LAURA.—¡Silencio! Ya llegan.

(Expectación. Por la derecha, hecha mieles, entra la REINA *del brazo de* ARMANDO, *señor de Hansa. Tras ellos, tamborileando caviloso con un dedo su labio inferior, el* REY. *El señor de Hansa es un*

gallardo mancebo de socarrona sonrisa y amanerados ademanes, lujosamente ataviado, que juega constantemente con un pañuelito de encaje. Con un gentil saludo a la reina deja su brazo. Reverencia general.)

DARÍO.—*(Tose y se acerca.)* Si vuestras majestades me permiten...

REINA.—La recepción dentro de dos horas, canciller.

DARÍO.—*(Contrariadísimo.)* ¡Señora!

REINA.—Podéis retiraros. (DARÍO *se inclina y sale, clamando al cielo con un gesto mudo.)* ¡Chist! Miradla.

ARMANDO.—Es encantadora.

REY.—Y no creáis que sean ciertos esos rumores que corren acerca de... su salud.

REINA.—¡Alberto!

ARMANDO.—¡Oh, eso no me preocupa! ¿A quién saluda su alteza?

REY.—*(Titubeante.)* Se despide de...

REINA.—*(Rápida.)* De nadie. De un viejo preceptor que se va. ¡Chist! Ya se vuelve.

(LETICIA *se vuelve, con el muñeco abrazado y los ojos bajos, y avanza despacio hacia el mirador.)*

REY.—Leticia...

(Como si despertase de una pesadilla, LETICIA *mira sorprendida a todos.)*

REINA.—Permitidme, señor. Esto es cosa mía. Leticia, querida: hemos venido a vuestro salón con toda sencillez porque no hemos querido retrasaros la noticia. Os presento a Armando, señor de Hansa, que ha querido honrarnos solicitando de nosotros vuestra mano.

(ARMANDO *avanza al centro de la escena y dedica a la princesa una profunda reverencia. Después la mira con juvenil petulancia.* LETICIA *lo contempla, muy asombrada. Prendida en su mirada y sin darse cuenta, se le aflojan los brazos y se le cae el muñeco al suelo.)*

TELON

ACTO TERCERO

En el mismo lugar.

(LETICIA *se encuentra sentada en su rincón del primer acto, con el mismo aire ausente de entonces.* LAURA, *como una fiera enjaulada, pasea por la galería y se asoma alguna vez para mirar al parque.)*

LAURA.—*(A su hermana, desde el mirador.)* No es divertido esperar, ¿verdad? Consume. Sólo que tú sabes hacerlo, mientras que yo no puedo calmarme.

LETICIA.—¿A quién esperas tú?

LAURA.—¿Yo? *(Ríe.)* A nadie. No te importa. Mañana me verás pasear aquí, igual que ayer y que ahora.

LETICIA.—¿Por qué?

LAURA.—¡Porque me place cansarme!

LETICIA.—*(Inquieta.)* ¿Esperas también a Armando?

LAURA.—¿A Armando? No, hermanita. Armando, para ti. Es tan estúpido como tú.

(Pasea.)

LETICIA.—*(Se levanta.)* ¡No digas eso!

LAURA.—*(Se para y la mira con furia.)* ¡Digo lo que quiero! ¡Y cállate, si no quieres que baje y te haga callar de otro modo!

(LETICIA *se encoge, asustada. La* REINA *ha entrado por la derecha.)*

REINA.—Laura, no molestes más a tu hermana.

LAURA.—Se dice fácilmente. ¿Os pido yo que no me moleste ella?

REINA.—No sería razonable. Leticia ha vuelto a ser muy dócil.

LAURA.—*(Ríe.)* ¡Linda manera de decirlo!

REINA.—¡Laura! No me gusta la actitud que has tomado desde hace algún tiempo. Voy a tener que venir más a menudo a poner orden entre vosotras. Deseo hablar con tu hermana. Déjanos solas.

LAURA.—Está bien, señora. Quedaos y hablad con ella..., si es que conseguís sacarle más de dos palabras.

(Sale por la izquierda. Pausa.)

REINA.—Cada vez que vengo vuelvo a encontrarte seria y metida en tu rincón. ¡Pues no me gusta, ea! Vas a casarte con un príncipe guapísimo; tienes hermosura y talento. ¿A qué vienen otra vez esas rarezas? La corte empieza a murmurar de nuevo. ¿Qué te sucede?

LETICIA.—Nada.

REINA.—Sé sincera con tu madre, que te quiere y tiene experiencia. ¡Ven al sofá! *(Se sienta.)* Me subleva ese aire de víctima que quieres imponernos. (LETICIA *se acerca y se sienta a su lado.)* ¿Lo ves? Así es más cómodo. De verdad, ¿no sabes el motivo de tu melancolía?

LETICIA.—De verdad.

REINA.—Mejor. Se marchará como ha venido. Oye mi consejo: no te sienta bien, ni te conviene. Los hombres se aburren de las mujeres tristes. Y lo importante es aprender los medios de dominarlos.

LETICIA.—¿Como vos a mi padre?

REINA.—*(Después de un momento.)* Y como tú a Armando..., mañana. Porque hoy ya veo que no lo consigues. ¿Qué te ocurre con él?

LETICIA.—También él me cree tonta.

REINA.—Así lo manejarás mejor. Pero lo importante es que él te vea alegre. Yo lo hice al principio con tu padre, y ya ves el resultado.

LETICIA.—*(Asqueada, esconde la cara en las manos.)* ¡Callad, por Dios!

REINA.—¿Por qué? Te conviene oír estas cosas. ¿Y quién mejor que una madre para decírtelas? Ya ves qué bien: ellos cazan ahora, juntos, y nosotras aquí, muy unidas, hablamos de asuntos serios.

LETICIA.—Madre, yo no tengo experiencia ni sé nada. ¿Son siempre así los matrimonios?

REINA.—Entre príncipes, sí, hija mía.

LETICIA.—*(Triste.)* Creo que me estoy volviendo tonta de verdad.
REINA.—Lo parece, ¿a qué negarlo?
LETICIA.—Quizá ellos lleven razón.
REINA.—¿Ellos?
LETICIA.—Sí, madre. Ellos nos trastornan siempre.
REINA.—Espera. Creo que comprendo. Yo pasé algo parecido, antes de casarme. *(Transición.)* ¡De ningún modo, Leticia! Te lo prohibo. Eso sería horrible. *(La coge de los brazos.)* ¿No habrás cometido la tontería de enamorarte de Armando?

*(*DARÍO *entra por la derecha y tose.)*

DARÍO.—Disculpe vuestra majestad. Su majestad el rey la ruega que se digne ir en el acto a su lado... para un asunto muy importante.

(La REINA *se levanta.* ARMANDO *aparece por el acceso de la derecha y le dedica una reverencia.)*

ARMANDO.—A vuestros pies, señora.
LETICIA.—*(Se levanta de súbito, alegre.)* ¡Armando!

*(*ARMANDO *se inclina.)*

REINA.—*(Seca, a* LETICIA.*)* Ya veo. Dios quiera que se te pase pronto. Vamos, Darío.

(Sale por la derecha, seguida de DARÍO. *Reverencias.)*

ARMANDO.—Os ruego que me dispenséis si he tardado.
LETICIA.—*(Mimosa.)* Tardáis siempre mucho...
ARMANDO.—No debía veros sin ataviarme debidamente. Tened en cuenta que he cazado durante toda la mañana.
LETICIA.—Yo os he esperado durante toda la mañana.
ARMANDO.—Creed que lo lamento. Si me hubiéseis advertido...
LETICIA.—Ayer os lo advertí. Y también os fuísteis a cazar.
ARMANDO.—Os vi por la tarde. ¿No fue suficiente? No debiérais mostraros tan pendiente de nuestras entrevistas.
LETICIA.—¿Es un reproche?
ARMANDO.—Nada de eso. Una enseñanza.
LETICIA.—Gracias.

ARMANDO.—De nada. Hay que enseñaros, porque sois siempre como niñas...

LETICIA.—Como niñas... necias.

ARMANDO.—Como niñas... inexpertas. Vuestras cabecitas encierran siempre demasiado viento.

LETICIA.—Demasiados cuentos de hadas.

ARMANDO.—¡Me asombráis, Leticia!

LETICIA.—*(Con triste ironía.)* Disculpadme.

ARMANDO.—No tiene importancia. A veces tenéis una contestación torpe... Pero no os lo tengo en cuenta, porque eso es fugaz.

LETICIA.—Menos mal.

ARMANDO.—Puedo decíroslo con alegría: progresáis mucho. Cada vez son más escasas vuestras genialidades. Si lográis, con el tiempo, haceros algo más amiga de las buenas formas..., me refiero a vuestras pintorescas costumbres de sentaros en cualquier lado y de suspirar en presencia de otros..., haréis una reina ideal. *(La acaricia, cariñoso.)* Yo os ayudaré. Los hombres estamos para evitar que las mujeres os trastornéis demasiado.

LETICIA.—Y para cazar.

ARMANDO.—*(Se separa.)* Sí, Leticia. Y para cazar. ¿Me reprocháis vos ahora?

LETICIA.—*(Débil.)* No.

ARMANDO.—Lo parece. Y, ¿para qué voy a engañaros? No me gusta.

LETICIA.—*(Sumisa.)* Perdonad.

ARMANDO.—*(Desdeñoso.)* Os perdono siempre, querida... Os he disculpado, sin un comentario, ciertas veleidades anteriores...

LETICIA.—*(Justificándose.)* Eran anteriores...

ARMANDO.—*(Eleva la voz.)* Os he tratado de aleccionar, con paciencia y sensatez... El pago no es muy grato.

LETICIA.—No os disgustéis. Comprendo que he hecho mal. Es que sólo vivo para veros llegar, y para escuchar vuestra voz... No sé estar sola. Y os quiero, Armando.

ARMANDO.—Y me agrada muchísimo, amor mío. Pero no hasta esos extremos.

LETICIA.—¿Puede haber extremos para eso?

ARMANDO.—Y para todo.

LETICIA.—¿También tiene límites vuestro cariño por mí? *(Breve pausa.)* Os disgusto otra vez. Perdonadme.

ARMANDO.—Los príncipes se casan por muchos motivos, Leticia... Entre ellos, el cariño es una cosa distinta... y más sensata que entre los simples menestrales.

LETICIA.—Procuraré aprender eso..., si es vuestro deseo. Pero ahora, Armando, ¡aunque sólo sea por una vez!, consentid en un capricho mío.

ARMANDO.—Veamos.

LETICIA.—*(Muy cerca, casi ofreciendo sus labios.)* ¡Decidme que me adoráis... como si fuéseis un menestral!

ARMANDO.—*(Sonríe y coge sus manos.)* Os lo diré de otro modo, ya que dudáis de mí. ¿Queréis autorizarme para que solicite de sus majestades la celebración de nuestros esponsales?

LETICIA.—*(Le echa los brazos al cuello.)* ¡Armando!

ARMANDO.—*(Abrazándola.)* La ceremonia podrá efectuarse mañana mismo. Y la boda, dentro de un mes.

LETICIA.—¿Lo deseáis de verdad?

ARMANDO.—Naturalmente, amor mío. *(Se besan.)* Permitidme. Voy a escribir en seguida a mi país para notificarlo.

LETICIA.—*(Mimosa.)* ¿Ahora?...

ARMANDO.—*(Se encamina al chaflán.)* La noticia es demasiado importante para retardarla. Han de alegrarse mucho, por las ventajas políticas del enlace.

LETICIA.—*(De nuevo triste.)* Sí, claro...

ARMANDO.—Con vuestro permiso. *(Antes de salir, se vuelve, risueño.)* Ya veis cómo el día que parece más triste puede ser el más feliz. Recordad siempre esta fecha: quince de junio.

(Se inclina y sale. Al oír la fecha, LETICIA *sufre un sobresalto. Se vuelve y mira al armario con pavor. Luego mira hacia el mirador con miedo.* ORIANA *entra por la derecha.* LAURA *aparece en el mirador sonriente.* LETICIA *grita.)*

ORIANA.—*(Grave.)* ¿Por qué gritas?

(LETICIA *se vuelve al oírla, con más susto aún.)*

LAURA.—*(Irónica.)* Porque hoy es quince de junio, Oriana..., y porque se casa dentro de un mes.

ORIANA.—Hablas con malicia y no sabes que has dicho la verdad. Por eso he bajado. Hoy será un día grande en el palacio.

LAURA.—Más de lo que tú crees, bruja.

ORIANA.—Calla, desgraciada. Y reza para que este día te sea grato. *(A* LETICIA, *que sigue asustada.)* Y tú, mi pobre niña, que has estado loca, loca de juventud y de ligereza..., piensa en el día que es hoy y disponte a grandes decisiones.

LAURA.—*(Venenosa.)* Y pronto, porque... hace un cuarto de hora que llegó una carroza a palacio.

LETICIA.—¡No!...

(Corre hacia la derecha y sale. LAURA *baja corriendo y llega junto a* ORIANA.*)*

LAURA.—¡Y ahora déjame sola! ¡Esta cita es mía!

*(*ORIANA *la mira sin responder y va hacia el chaflán, cuya puerta abre.)*

ORIANA.—Me das una gran pena.

(Sale. LAURA *corre a un espejo, se atusa los cabellos y se alisa el vestido. Luego se vuelve y mira a la galería. Una pausa llena de ansiedad. En el mirador, sombrero en mano y rigurosamente vestido de luto, aparece* RIQUET. *Por un momento, se miran. El hace una profunda inclinación, y ella le contesta.* RIQUET *baja y se aproxima, mirando a todos lados.)*

RIQUET.—Mis respetos, princesa Laura.

LAURA.—Mi más sincero pésame, príncipe Riquet. *(El saluda y vuelve a mirar a todos lados.)* ¿Echáis de menos a alguien?

RIQUET.—Por supuesto, señora.

LAURA.—¿A mis padres, quizá?

RIQUET.—Acabo de ofrecerles mis respetos.

(Breve pausa.)

LAURA.—No la busquéis. Ha salido ahora mismo, al saber que habíais llegado.

RIQUET.—¿A encontrarme?

LAURA.—Al contrario. Huyendo de vos.

RIQUET.—Os agradecería que dejaseis vuestras burlas para otra ocasión.

LAURA.—Perdéis agudeza, príncipe. ¿No habéis leído nada en la cara de mis padres?

RIQUET.—Eran extrañas, en efecto, así como sus palabras. ¿Soy yo la causa?

LAURA.—En parte.

RIQUET.—¿Qué ocurre aquí? Sus majestades querían retenerme a su lado...

LAURA.—Yo os lo explicaré. *(Se acerca al armarito.)* Habéis escrito varias veces a Leticia, ¿no?

RIQUET.—Sí.

LAURA.—Y nunca os contestó. El Consejo de Estado se encargó de interceptar vuestras cartas.

RIQUET.—¿Por qué?

LAURA.—*(Abre el armarito.)* Mirad. Aquí está vuestro muñeco. *(Lo saca.)* Ya no es Riquet, el del copete.

(El muñeco, en efecto, ha perdido su mechón. RIQUET *cruza hacia la derecha.)*

RIQUET.—Perdonad, señora.

LAURA.—Esperad... El copete lo tengo yo. Miradlo. *(Lo saca de su corpiño y lo clava en la cabeza del muñeco.)* Lo guardé cuando ella lo tiró. Quería ofrecéroslo de nuevo cuando volvieseis. Tomadlo de mis manos.

(Se lo tiende. Pensativo, él lo coge.)

RIQUET.—¿Cómo se llama él?

LAURA.—El Señor de Hansa. Armando. Llegó el mismo día de vuestra partida. *(Pausa. Lentamente,* RIQUET *se deja caer en el sofá, con el muñeco entre las manos.* LAURA *se le acerca, felina.)* Lo siento, Riquet.

RIQUET.—Gracias.

LAURA.—Era un gran error y debía terminar. Enlaces así no suceden más que en las narraciones infantiles. La vida es más dura y más fuerte. Sé fuerte, Riquet. Yo te lo pido. *(El la mira.)* Sí, yo: la realidad, que te habla por mi boca. El señor de Hansa es muy bien parecido... y ella también lo es. Yo soy horrible, y lo sé. Me alegro de no haber sido la primogénita. Como somos mellizas, estoy segura de que mis padres habrían mentido a favor de ella. ¡Y quién sabe si no ha sido así!... No me importa. Que sea ella la reina. Yo puedo ser su consejera... o la reina de otro país en cuyo trono... no desentone.

RIQUET.—¿Qué dices?

LAURA.—*(Vibrante.)* ¡Lo que oyes! He aguardado tu vuelta para decírtelo. *(Se sienta a su lado.)* Mírame, Riquet. Espantosa, ¿verdad? Como tú. Mira en mi cara tu propio horror. Sólo yo puedo comprenderte. Mira mis ojos, mis ojos solamente..., y verás en ellos la ternura que has querido dar en vano a una linda muchacha vacía, y que sus ojos no te han sabido devolver...

RIQUET.—Tú no me ves hermoso.

LAURA.—No. Te veo risible. Como yo. El destino nos une para repartirnos el sufrimiento... y el consuelo.

RIQUET.—Estoy solo.

LAURA.—Mi soledad acompañará a la tuya.

RIQUET.—No.

LAURA.—Sí. ¿Lo ves? Ya estamos juntos. No quieres reconocerlo, pero nos comprendemos.

(Se reclina sobre su hombro.)

RIQUET.—No puede haber amor sin ilusión. Nuestra vida sería un infierno.

LAURA.—¿Y no preferirías ese infierno... a la nada? Yo, sí. Y tú, también. Eres un pobre ser humano acorralado. Tienes un hambre infinita de compañía... ¡Venguémonos de la belleza que se nos ha negado uniendo con furia y con rencor nuestras deformidades! ¡Gózate en la carne triste y fea, para que tu vida sea más viva!

RIQUET.—Estás loca.

LAURA.—Sí. Loca de una rabia sin bálsamo posible. Igual que tú. Porque yo sé, como tú, de la inmensa vergüenza de sentirse mirados con burla o con miedo a toda hora; de los gritos de susto de las damiselas o de las risas a nuestra espalda... De la amargura de encontrar cada día nuestra cara en la soledad del espejo... *(El la mira, absorto.)* Es como si hablaras tú, ¿verdad? Pues yo te ofrezco eso. Mi alma, gemela a la tuya..., y la hermandad serena en la vejez, cuando ya no seamos... así.

(Señala su rostro.)

RIQUET.—Calla. Es tu cuerpo lo que ofreces, y no tu alma. Buscas el brote de una ilusión imposible... o de una fiebre perversa que nos haga gustosa la fealdad.

LAURA.—¿No te veía ella hermoso? ¡Busca tú mi hermosura! ¡Desea mi fealdad desde la tuya, y acaso el milagro se produzca! ¿O no tendrás coraje para eso?

RIQUET.—No, porque soy hombre.

LAURA.—*(Se levanta, llena de ira.)* Entonces, los hombres sois despreciables.

RIQUET.—*(Se levanta también.)* Puede ser. Quizá tu tragedia sea el saberlo.

LAURA.—¿Pretendes luchar contra el señor de Hansa?

RIQUET.—Confío en los recuerdos de Leticia.

LAURA.—Más que ella... Ha huído por no verte. (RIQUET *se acerca al armarito para dejar el muñeco.)* ¡Espera! ¡El mechón es mío!

RIQUET.—Déjalo donde está.

(Lo guarda y cierra el armarito.)

LAURA.—¡Cobarde!

RIQUET.—¿Tú crees?

LAURA.—¡Juega tu ridícula partida, y piérdela! Quizá vuelvas a mí antes de lo que supones. *(Se dispone a salir por el chaflán.* LETICIA *entra por la derecha, con los ojos bajos.)* Mucho has tardado, hermanita. Tu visitante se impacientaba ya.

(Sale. Gran pansa. LETICIA y RIQUET *se miran con intensidad.* RIQUET *avanza al fin y besa sus manos.* LETICIA *no puede evitar un movimiento de repulsión.)*

RIQUET.—¿Te alegra mi vuelta, Leticia?

LETICIA.—*(Muy débil.)* Sí.

RIQUET.—Ella murió nombrándote...

LETICIA.—¡Cuánto debes de haber sufrido!

RIQUET.—Ya todo pasó. Ahora estoy de nuevo a tu lado. Leticia, amor mío... ¿Qué puedo leer en tus ojos? ¿Callas? Lo comprendo. Estás conmovida...

LETICIA.—Sí.

(RIQUET *se acerca y ella retrocede un paso.)*

RIQUET.—Se que has tenido que recordarme tanto como yo a ti. No he dejado de hablar contigo ni un sólo día... He estado aquí, entre tus brazos, que ahora no se me tienden... *(Ella lo mira, turbada.)* ¿No comprendes? El muñeco. ¿Quieres traerlo? Es necesario que la duplicidad cese. Si no, voy a sentirme un poco celoso de él... Estará, sin duda, ahí. *(Por el armarito.)* ¿O no?

LETICIA.—Riquet, debo decirte algo...

RIQUET.—Es natural. Tenemos mucho que decirnos. Trae antes el muñeco. *(¿Va a hablar ella? No se decide.)* ¿Vacilas? ¡Qué niñería!

(Se dirige al armarito.)

LETICIA.—¡Espera!

RIQUET.—¿Por qué? *(Abre, y ella se vuelve para no verlo,*

aguardando con temor la probable exclamación de sorpresa de él.) ¡Ah, mi buen amigo! A tu amita le avergüenza verte. *(Lo está diciendo sin perderla de vista.)* ¿Qué me dices? ¿Que mi Leticia me ha sido fiel? Ya lo sé, amiguito; basta mirarte. *(Intrigada,* LETICIA *se vuelve y mira al muñeco. De pronto, se echa a llorar. El la sigue mirando, con la cara nublada. Luego mete el muñeco en el armario y cierra.)* No llores, Leticia. Perdóname esta farsa. Te he hecho sufrir porque aún acariciaba una esperanza. He sido cobarde. El muñeco tiene el mechón porque lo ha recobrado hace un momento.

LETICIA.—Perdón...

RIQUET.—¿Por qué? Recuerda que lo presentí al marcharme. Seca tus lágrimas y mírame... *(Ella lo hace.)* como soy. Eso quiere decir que ya no me quieres.

LETICIA.—*(Ahogada por los sollozos.)* Yo no sé... No sé nada...

RIQUET.—Yo sí lo sé. Tus ojos no mienten. *(Se acerca, anhelante.)* Hubo, sin embargo, un tiempo en que yo era para ti muy distinto.

LETICIA.—¡Calla!...

RIQUET.—*(Tenaz.)* No. Recuérdalo. Con un pequeño esfuerzo aún me verías como entonces... Cierra los ojos y recuerda. ¡Recuerda!... *(Suave música de violines. Ella cierra los ojos. La gallarda figura de* RIQUET, *vestida con un lujoso traje de luto exactamente igual al del hombre que vemos en escena, aparece en la galería por la derecha.)* Eran nuestros momentos mejores. Yo aparecía en la galería...

(El bello enlutado baja por el acceso izquierdo.)

RIQUET, EL HERMOSO.—*(Mientras camina hacia ella.)* ...y tus ojos brillaban de fe. ¿Lo recuerdas?

LETICIA.—Sí...

RIQUET, EL HERMOSO.—Pues mírame, Leticia mía... Soy el mismo... *(Los dos* RIQUETS *se encuentran a ambos lados de la princesa. Ella abre los ojos y mira al hermoso. Después, lentamente, al feo.)* Soy el hombre que te hizo revivir. Y ahora te estás apagando de nuevo. ¡Soy yo quien puede devolverte la antigua alegría!

(Los violines callan.)

LETICIA.—*(Sin dejar de mirar al feo.)* Ya es tarde...

RIQUET, EL FEO.—Tú me dijiste que tu fe dependía de la mía... Estoy tratando de crearla otra vez, ¡Ayúdame!

LETICIA.—*(Mirándolo.)* ¡No puedo!

RIQUET, EL HERMOSO.—Inténtalo por ti, ya que no por mí. Te envuelve un velo de tristeza. Lo he notado desde que entraste. Eso me basta para saber que ese hombre te destruye. ¡Qué pena! Te han adormecido otra vez. La corte volverá a reírse de la princesa simple. ¡Déjame salvarte de nuevo!

RIQUET, EL FEO.—*(A quien ella no deja de mirar.)* No quieres. Ya no ves a tu lado al Riquet de antes. Te han obligado a dejar de soñar.

RIQUET, EL HERMOSO.—¿O lo ves aún? *(Dulce, tratando de pasarle el brazo por el talle.)* ¿Me reconoces todavía, Leticia?

(Ella se separa de los dos bruscamente, adelantándose. Breve pausa.)

RIQUET, EL FEO.—*(Sombrío.)* Una sola palabra ya. ¿Le quieres?

LETICIA.—*(Angustiada.)* ¡Dejadme marchar!

RIQUET, EL FEO.—A vuestras órdenes, princesa.

(Se inclinan profundamente los dos RIQUETS. LETICIA *huye por la derecha, sin mirarlos. Tampoco se miran ellos cuando, de cara al proscenio y con los ojos en alto, hablan.)*

RIQUET, EL FEO.—No. Nadie la ha obligado a dejar de soñar. Fue su torpe sangre de mujer, incapaz de resistir la presencia de un galán guapo y vacío...

RIQUET, EL HERMOSO.—Pero yo era también hermoso para ella, y no estaba vacío.

RIQUET, EL FEO.—¿Lo era? ¿No habrá sido todo una ilusión sin consistencia? ¡O acaso una mentira! ¡Una artera mentira fraguada cuando aún desconfiaba de que otro hombre pudiese requerirla!

RIQUET, EL HERMOSO.—No. Su expresión no engañaba. Yo le fuí grato, y me quiso...

RIQUET, EL FEO.—Y ahora ya no me quiere. ¡Oh, Dios, Dios! ¿Cómo somos? ¿Qué somos en realidad? Cada uno nos ve a su manera. ¿Cómo nos ves tú? ¿Cómo me ves? ¿Qué soy para ti?

RIQUET, EL HERMOSO.—¿Hermoso?

RIQUET, EL FEO.—¿Horrible?... *(Se pasa las manos crispadas por la cara.)* Me ves como me has hecho. Horrible. Así me vieron siempre los demás, y es ahora cuando ella está en lo cierto.

RIQUET, EL HERMOSO.—¿O quizá no? Tu verdad, Señor, es un amor infinito por todas las cosas. Y ella me tuvo amor, y por tenerlo, yo fui su ideal. ¿Quién podría vencer al ideal?

RIQUET, EL FEO.—Armando...

(Breve pausa.)

RIQUET, EL HERMOSO. ¡No me resignaré! El y yo nos encontraremos. Lucharé por ella...

RIQUET, EL FEO.—*(Ríe con pena.)* ¡Pobre iluso!... Sé que no lo haré. *(Mira por primera vez a su extraño compañero.)* Te han matado dentro de mí, mi pobre amigo. *(Se han acercado. Le pone las manos en los hombros.)* Y ahora estoy solo. Para siempre. Afuera me acecha un espantoso hermano: Laura. Tendré que aceptarlo, para morir definitivamente en el incesto monstruoso de la fealdad. Estoy solo y doy horror...

RIQUET, EL HERMOSO.—*(Vencido.)* Doy horror...

RIQUET, EL FEO.—Despertemos del sueño mentiroso de la belleza... Habrá que renunciar.

(Se vuelven los dos, cabizbajos, y suben por los dos accesos a la galería. Sólo se ve cruzar al dolorido y feo RIQUET *por el mirador. Pausa. Por el chaflán entran, rápidos,* LAURA *y* ARMANDO.*)*

LAURA.—No quiere renunciar y es un peligro para vos.

ARMANDO.—*(Con suficiencia.)* Estando yo aquí...

LAURA.—No olvidéis que fue su primer amor.

ARMANDO.—Su última necedad, más bien. Si Riquet es como todos dicen, ya comprenderéis que hace falta ser simple para aceptarlo... *(Se corta.)* Perdonad. En vuestro caso es diferente. Me hago cargo de vuestros proyectos... estatales.

LAURA.—Justo. Proyectos estatales. Comprenderéis que Riquet no puede ilusionarme lo más mínimo. Pero Leticia no es como yo.

ARMANDO.—Comenzáis a inquietarme...

LAURA.—Aún tendréis que inquietaros más. ¿Os ha enseñado mi hermana alguna vez un bonito muñeco vestido de caballero que tiene?

ARMANDO.—*(Sorprendido.)* No.

LAURA.—*(Sonriente.)* Lo sospechaba. Vais a verlo. *(Se acerca al armarito y* ARMANDO, *intrigado, va tras ella. Lo abre.)* Sí... Está como me imaginaba. Fijaos en su cabeza... ¿Qué decís ahora?

ARMANDO.—No es un dato seguro.

LAURA.—*(Cierra el armario.)* Pero da que pensar, ¿verdad?

ARMANDO.—Sí. *(Caviloso.)* ¿Qué haríais vos?

LAURA.—*(Con una sonrisa de triunfo.)* Humillarlo ante ella. Hacer ver a los dos que le superáis en todo. Herirle en lo más vivo, para que aprenda humildad y no se obstine en conseguir lo que no le corresponde.

ARMANDO.—¿De qué manera?

LAURA.—Eso es fácil. Cualquier alusión a su ridícula catadura... Cualquier palabra significativa... Bufón, por ejemplo. Si sois hábil, lo soportará.

ARMANDO.—¿Y si me provoca?

LAURA.—Reñir. A hombre tan desmedrado lo venceréis fácilmente. Pero no lo matéis.

(Breve pausa.)

ARMANDO.—¿Sabéis que no tenéis más que desprecio para ese pobre hombre? Ninguna mujer que lo quisiese por esposo desearía verlo humillado.

LAURA.—*(Reconcentrada.)* Yo, sí.

ARMANDO.—*(La mira y se encoge de hombros.)* Allá vos. Gracias de todos modos por vuestra advertencia. Hay peligro, no cabe duda. De una cabeza como la de vuestra hermana todo se puede temer. ¡Ardo ya en deseos de verme con ese..., con vuestro futuro esposo!

(Por la derecha entran IRENE *y* FÉLIX. *Saludan.)*

LAURA.—*(Sardónica.)* Creo, señor, que vuestros deseos se van a cumplir muy pronto. Las personas de mi servicio tienen un sorprendente olfato para todo lo que signifique espectáculo. ¿Qué prisas son esas, señorita?

(IRENE *y* FÉLIX *se miran.)*

FÉLIX.—Se deben a...

IRENE.—Al deseo de informar a vuestra alteza de la llegada...

LAURA.—Lo sé. Podéis quedaros. *(Por el acceso derecho bajan, rápidos,* CLOTILDE *y* JORGE. *Saludan.* LAURA, *a* ARMANDO.) ¿No os lo decía?

CLOTILDE.—*(Inocente.)* Perdone vuestra alteza. Por la galería viene hacia aquí...

JORGE.—...Oriana, acompañada de...

ARMANDO.—*(Jocoso.)* ...de Riquet, el del copete. *(Estupor; luego, risas discretas de las parejas.* CLOTILDE *no puede evitar un leve palmoteo nervioso, que* JORGE *reprime.)* Bravo. Veo que vuestro deseo de presenciar mi entrevista con un hombre tan ilustre es igual al mío. Será muy interesante, gentil Clotilde... Os lo prometo.

(La mano de RIQUET *levanta la cortina de la izquierda.* ORIANA *baja, y tras ella, el príncipe.* ARMANDO *hace un gesto de sorpresa.)*

LAURA.—Prudencia, señor. Príncipe Riquet: tengo el placer de presentaros al señor de Hansa.

(Los dos se saludan. ARMANDO *acentúa ostentosamente su asombro.)*

ARMANDO.—Perdonad mi sorpresa... No podía suponer encontrarme tan pronto en presencia del príncipe Riquet.

RIQUET.—*(Después de mirar a todos.)* Riquet, el del copete, por otro nombre.

ARMANDO.—*(Desconcertado.)* Claro... Por... ese mechoncito, sin duda...

RIQUET.—*(Frío.)* Exacto.

ARMANDO.—*(Reacciona.)* Os sienta muy bien. Realza vuestra gallardía natural.

RIQUET.—*(Después de un momento.)* Gracias, señor.

ARMANDO.—¿Puedo preguntaros si pensáis continuar mucho tiempo en la corte?

RIQUET.—El suficiente para felicitar a la princesa Leticia por su elección. Partiré mañana.

LAURA.—*(Desconcertada.)* ¿Tan pronto?

RIQUET.—Nada me retiene aquí.

ARMANDO.—Sois muy amable. Es una lástima que la princesa no haya oído vuestras palabras... *(A* LAURA.*)* Si pudiéseis traer a vuestra hermana, alteza...

LAURA.—Será un placer.

(Sale por la derecha.)

ORIANA.—*(Suave.)* Es posible, no obstante, que alguna otra persona parta antes que el príncipe Riquet.

RIQUET.—No, Oriana. Te lo he dicho ya. *(A* ARMANDO.*)* Oriana me conoce desde hace años y le duele mi partida.

ORIANA.—Decid mejor: no creo en ella.

ARMANDO.—Pero el príncipe sí cree, y eso lo decide todo, señora. Os felicito, alteza. Compruebo ahora vuestra fama de sabio. En el galante siglo en que vivimos, ¿a qué pensar en anticuadas manifestaciones de hostilidad? La elegancia es preferible. Gracias por la vuestra. (RIQUET *se inclina.)* Así, pues, amigos. ¿No es admirable nuestro siglo, caballeros? Es el siglo que ha logrado la difícil virtud de convertir la vida en un juego. *(Señala el tablero.)* ¿Os gusta jugar, príncipe? Os propongo una partida.

RIQUET.—A vuestras órdenes. *(Se sientan.* ORIANA *se acoda en el sillón de* RIQUET. *Las parejas se acercan.)* Tenéis las blancas. Salid, os lo ruego.

ARMANDO.—Gracias.

(Lo hace. Entra LAURA, *trayendo de la mano a su hermana, que se resiste. Los dos príncipes se levantan. Las parejas saludan.)*

LAURA.—Que nadie se mueva. Hacednos la merced de continuar.

(Se sientan en el sofá.)

ARMANDO.—Vuestra presencia, altezas, hace aún más delicioso el momento. *(Continúan jugando.)* Alababa, cuando llegasteis, la delicadeza de nuestra época. Hemos sustituído las pesadas espadas de gavilanes de nuestros abuelos por livianos espadines de corte; y en el amor, las toscas costumbres antiguas por la urbanidad. ¡Nada de celos, raptos, ni violencias! Ahora florece en toda Europa la flor preciosa de la galantería. ¿No es cierto, señoritas?

IRENE.—Vos lo decís, señor.

ARMANDO.—*(A* RIQUET.*)* Jugad, por favor. Os toca. *(Ríe suavemente.)* Nuestro tiempo es sabio y viejo. Ya no cree en nada. Ni siquiera en aquellas feroces pasiones que antes torturaban a las personas... La tragedia desaparece de nuestros escenarios. Ahora priva la pastorela.

ORIANA.—Yo no lo diría, señor. La tragedia está siempre dispuesta a saltar al escenario.

ARMANDO.—*(Sonriente.)* No lo creáis. Ahora todo lo resolvemos... jugando.

ORIANA.—Pero, como en aquella crédula edad, señor, nuestros juegos se cargan de pasión cuando los presencia la mujer.

ARMANDO.—¡Y aunque así fuese, señora! Hemos inventado lo más hermoso de este mundo, que es ocultarla. Hemos inventado la educación. ¿No es cierto, príncipe?

RIQUET.—Sin duda, señor.

ARMANDO.—La educación, que se basa en la sustitución de palabras. Si un cobarde, por ejemplo, teme luchar por la mujer que le han arrebatado, es más cortés llamar elegancia a su cobardía. *(Todos se miran, inquietos.)* ¿No os parece, príncipe?

RIQUET.—*(Después de un momento.)* Muy cierto, señor.

ARMANDO.—Creo que os voy ganando.

RIQUET.—Así parece.

(Mueve.)

LETICIA.—*(Se levanta.)* Perdonad...

LAURA.—*(Obligándola a sentarse.)* ¿Qué te sucede?

LETICIA.—Quisiera... marcharme.

ARMANDO.—Quedaos, os lo ruego. El príncipe Riquet nos ha anunciado que partirá mañana, y no debéis privarle de vuestra presencia en el escaso tiempo que le resta. ¿No es cierto?

RIQUET.—Os ruego que os quedéis, princesa.

ARMANDO.—No sé cómo agradeceros vuestra gentileza... Responde en todo a la suavidad de nuestras costumbres... Es suave y pálida, como los gratos colores con que la moda actual ha sustituído a los antiguos colores violentos. Y, cuando no, los colores han perdido su significado. Por ejemplo, vos tenéis las fichas rojas. Pero ese tono no tiene ya nada que ver con la sangre y la violencia. Sobre el tablero, es tan cortesano e inofensivo como los otros.

ORIANA.—Hay un color cuyo sentido no ha variado.

ARMANDO.—¿Cuál, señora?

ORIANA.—El negro. El de la muerte.

(Un silencio molesto. Todos miran el luto de RIQUET.*)*

ARMANDO.—¡Oh, señora, qué palabra! Vamos a disgustar a sus altezas. Y es nuestra obligación ahorrarles pensamientos ingratos, como hemos sabido ahorrarles el ingrato espectáculo de aquellas sabandijas con... copete de cascabeles, de la antigüedad. *(Un silencio mortal.)* Me refiero a los bufones. ¿No eran risibles, príncipe?

(Gran pausa.)

RIQUET.—*(Con dificultad.)* Eran risibles.

ARMANDO.—*(Con acento de triunfo.)* ¡Jugad! (RIQUET *lo hace.)* ¡Dama!

RIQUET.—*(Corona la ficha.)* Es vuestra.

(Mira a LETICIA *con melancolía.)*

ARMANDO.—*(Con duro acento.)* Lamentables sujetos, aquellos. Listos, fríos y petulantes. Ridículos y monstruosos. En aquella triste edad lograban, sin embargo, suscitar a veces atracciones extrañas y reprobables en el desquiciado corazón de las princesas... (LETICIA *ha bajado la cabeza, con dolorida expresión. Todos están inquietos, pendientes del sorprendente sesgo tomado por las palabras de* ARMANDO, *sin perder de vista a los principales protagonistas.)* Hoy no sería eso posible; nuestro exquisito gusto lo repudiaría. Hoy una princesa sólo podría prendarse de un bufón si fuese... tonta. *(Lo ha dicho mirando a* LETICIA. *En medio de la insoportable tensión creada, a* LETICIA, *bajo las miradas de todos, se le escapa el llanto. De pronto,* RIQUET *vuelca con estrépito la mesa y se levanta. Sus ojos flamean de ira. Las princesas se levantan, asustadas. Los demás se apartan con aprensión.* ARMANDO *se levanta también, sin perder de vista a* RIQUET.) ¿Os molesta perder?

RIQUET.—*(Mientras empieza a sacar, lentamente, su espada.)* ¡Qué gran bufón hubiérais hecho, señor de Hansa!

ARMANDO.—¿Qué hacéis?

RIQUET.—Va contra las normas de nuestro siglo, ¿verdad? ¡Sacad vuestro espadín de corte!
ARMANDO.—*(Saca su espada.)* ¿Deseáis otra lección?
LETICIA.—¡No! ¡Impedidlo!
RIQUET.—¡Que nadie se acerque! ¡Defendeos!
LAURA.—*(Sujeta a su hermana.)* ¡Quieta!
ARMANDO.—¡Os cortaré ese ridículo copete de muñeco para niñas necias!

(LETICIA *gime.)*

CLOTILDE.—¡Es horrible!
ARMANDO.—¡Subamos a la galería! ¡Aquí no hay espacio!

(IRENE *grita, histérica.* FÉLIX *le tapa la boca.)*

JORGE.—*(Se interpone en el camino de* RIQUET.) Por favor, príncipe...
RIQUET.—¡Atrás!
FÉLIX.—¡Caballeros!
RIQUET.—¡Que nadie se interponga!

(ARMANDO *y él se dirigen a los accesos.* CLOTILDE *grita y huye por la derecha.)*

CLOTILDE.—*(Voz de, perdiéndose.)* ¡Socorro!...
FÉLIX.—*(A* JORGE.) ¡Id con ella! (JORGE *corre tras* CLTOTILDE. *Reteniendo a* IRENE, *que quiere subir a la galería.)* ¡Salgamos todos, altezas! ¡Hay que avisar!
LAURA.—¡No! ¡Esto es cosa nuestra!
IRENE.—*(Forcejeando con* FÉLIX.) ¡Dejadme!
LAURA.—Salid vosotros, ¡y en seguida!

(IRENE *se desase.* ARMANDO *ha aparecido ya en el mirador, observando con cierta inquietud a* RIQUET, *aún invisible.* IRENE *grita y huye por el chaflán.* FÉLIX *corre tras ella. Salen.)*

LETICIA.—*(Adelantándose hacia el mirador.)* ¡No!... ¡No!

(Corre a uno de los accesos, pero LAURA *la sujeta a tiempo.)*

LAURA.—¡Deja luchar a nuestros caballeros! ¡Armando, para ti! ¡Riquet será mío! *(La mantiene sujeta, mirando crecer el asombro en los ojos de ella.)* ¡Sí, mío!
IRENE.—*(Voz de, lejana.)* ¡Auxilio!... ¡Aquí la guardia!...
RIQUET.—*(Aparece, lento, en el mirador, ante el asombro*

de ARMANDO, *convertido en el arrogante príncipe que a veces logra ser para* LETICIA.) ¿Qué os detiene? ¡Parece como si no me reconocieseis!...

ARMANDO.—No es nada... Adelante.

LAURA.—*(Espantada, abandona a su hermana.)* ¡Dios mío! ¡Me parece hermoso!

RIQUET.—¡Miradme bien, miserable! Mi color es el negro del luto. El siglo se ensombrece. El bufón puede ser temible. ¡Apuntad al corazón, porque yo voy por vuestra vida!

(Cruzan sus espadas y riñen.)

LETICIA.—*(Extiende la mano, en impotente súplica.)* ¡No!

*(*ORIANA *se ha acercado al mirador y, ante el angustiado grupo de las hermanas, tira del cordón que corre las cortinas. El desafío continúa tras ellas.)*

LAURA.—¡Santo Dios! ¿Qué he hecho?

(Corre a un acceso. ORIANA *se interpone.)*

ORIANA.—No estorbes el castigo de Armando.

LAURA.—¡Riquet lo va a matar! ¡Y sólo era un juego!

ORIANA.—Lo has perdido ya.

RIQUET.—*(Voz de, alejándose, a la par del ruido de las espadas.)* Hay temor en vuestros ojos, Armando... ¡Parad ésta!

ARMANDO.—*(Voz de, con esfuerzo.)* ¡Parada!...

LAURA.—*(Esquiva a* ORIANA *y atisba por un acceso.)* ¡Se alejan!... ¡Qué hermoso está!...

ORIANA.—También Armando ve ahora en él la terrible hermosura del honor ofendido..., porque va a morir. Te lo predije. Es el privilegio del amor y de la muerte.

LAURA.—¿Del amor?

ORIANA.—Sí. Del amor que te nace dentro ahora.

CLOTILDE.—*(Voz de, lejana.)* ¡Por allí!... ¡Impedidlo!...

JORGE.—*(Voz de, lejana.)* ¡Han salido al parque!

(El CANCILLER *irrumpe por la derecha.)*

DARÍO.—¿Dónde están?

(Casi al mismo tiempo, FÉLIX *vuelve a entrar por el chaflán.)*

FÉLIX.—¡Luchan en el parque!

(CLOTILDE *vuelve por la derecha.)*

CLOTILDE.—¡Ya no se los ve! ¡Se han perdido en las alamedas!

DARÍO.—¡Seguidme!

(Sube, rápido, a la galería. FÉLIX, *tras él.)*

ORIANA.—*(A* LAURA.) Se acerca el fin. Disponte a subir a la torre. Va a empezar tu verdadera vida.

(IRENE *entra por el chaflán.)*

IRENE.—¡Los he visto alejarse por las alamedas! ¡El príncipe hacía retroceder al señor de Hansa!

(Los reyes entran por la derecha. Las damas de honor los saludan.)

REINA.—¿Cómo ha ocurrido? Lo provocaría el príncipe, claro. ¡Nada más llegar, decidiría matarlo! ¡El miserable!

REY.—¡Juana, por Dios!

REINA.—¡No me repliquéis! *(Pasea.)* No. Riquet no se saldrá con la suya; yo lo impediré. ¡Si antes no lo mata Armando, que es lo que debe ocurrir!

LAURA.—¡Madre!

REINA.—¡Sí, hija! Tus proyectos eran disparatados, ahora lo veo. No conviene tener por esposo a un ser violento y astuto, como ése. ¡Es muy amargo tener que decirlo, pero vale más un marido estúpido y blando!

(Lo ha dicho mirando a su esposo. El REY *baja la cabeza, abochornado.)*

LETICIA.—¡Madre, por Dios! ¡No habléis así! ¡No me hagáis sufrir más!

CLOTILDE.—¡El señor canciller viene!

(Se apresura a bajar. Una pausa llena de la ansiedad de todos. DARÍO *y* FÉLIX *bajan por el acceso derecho y saludan. Un silencio.)*

REY.—¿Y... el Señor de Hansa?

DARÍO.—Lo hemos llevado al gabinete azul, majestad.

REINA.—¿Herido?

DARÍO.—Ha muerto, señora.

(La REINA *ahoga un gemido.* LETICIA, *que ha escuchado con enorme ansiedad, desfallece.)*

IRENE.—Alteza...
REY.—¡Hija!...

(Corren a sostenerla.)

LETICIA.—*(Sobreponiéndose.)* No me toquéis. Ya ha pasado.
REINA.—*(Al* CANCILLER.) ¿Dónde está el príncipe Riquet?
DARÍO.—Lo ignoro, majestad. Lo hemos buscado, sin resultado. Se ha dado orden a la guardia de que cierre las puertas.
ORIANA.—¿Por qué, señor?
DARÍO.—El príncipe ha derramado sangre real..., y debemos esperar una guerra.
REINA.—*(Exaltada.)* ¡Eso! ¡Una guerra! ¡Pero no contra Hansa! ¡Hansa y nosotros, contra Riquet y su país!
LAURA.—*(A su madre.)* No comprendéis nada...
REINA.—¿Que no? ¡Mejor que vosotras! Ese engendro no descansaría hasta conseguir a Leticia, y yo debo evitarlo. ¿Verdad, hija mía? *(Un silencio.* LETICIA *vuelve la cabeza.)* ¡Cómo! ¿Callas? Te defiendo y callas... Temo comprender... No habréis fraguado esto entre los dos, ¿verdad? ¿O eres tan necia que vuelves a amar a Riquet? *(Se acerca.)* Serías muy capaz... Ha vuelto y tú estás demasiado callada... Todo se puede esperar de ti. *(Maligna.)* Dime: ¿lo encuentras guapo otra vez? *(Ríe.)* No. Sería imposible.
LAURA.—*(Atribulada.)* No es imposible, madre.
REINA.—¿Qué dices tú? *(En un arranque,* LAURA *corre a echarse en los brazos de su hermana, sollozando.)* ¿Qué es esto? ¡No comprendo nada!
JORGE.—*(Se inclina.)* Perdonen vuestras majestades. Acabo de ver desde el corredor que el príncipe Riquet se dirige hacia aquí.

(IRENE *corre a un acceso y se asoma.)*

IRENE.—¡Está ahí mismo, señora!

(Pausa tensa. Todos se yerguen, vagamente asustados. De pronto, LAURA *se desprende de los brazos de su hermana y sube a la galería.)*

LAURA.—¡Riquet!

(Desaparece.)

REINA.—Esta hija...
REY.—¿Qué le sucede?
ORIANA.—Nada que podáis comprender, señor.
LAURA.—*(Voz de, como si se hubiese echado en brazos de él.)* ¡Riquet!... ¡Adiós!... ¡Adiós... y perdón!

(LAURA *reaparece llorosa. Al pasar junto al armarito se detiene y lo abre, sacando el muñeco. Con una mirada de súplica a su hermana, lo oprime entre los brazos.* LETICIA *la mira, conmovida, y asiente.)*

REINA.—¿Qué haces, Laura? (LAURA *sale por la derecha, sin contestar, con el gesto apenado y los ojos bajos. La* REINA *hace un gesto de perplejidad. Luego se vuelve a* FÉLIX.) Descorred las cortinas, caballero.

(FÉLIX *lo hace. Las damas no pueden evitar leves gritos de susto. En el centro del mirador, inmóvil y mirándolos, aparece el príncipe* RIQUET. *Su traje muestra algún desaliño, a consecuencia del reciente duelo. Su fisonomía, terrible y desencajada, ostenta como nunca el castigo de su espantosa fealdad.)*

REINA.—Caballeros: ¡Detened inmediatamente al príncipe Riquet!
LETICIA.—¡No! *(Avanza al centro de la escena.)* Riquet es mi prometido y yo lo amo. *(Con esfuerzo.)* ¡Riquet, perdóname! ¡Yo te ofrezco mi mano, si quieres todavía aceptarla!
RIQUET.—*(Cuya expresión se ha suavizado.)* ¡Leticia!...

(Corre al acceso y baja. Ella lo toma de la mano y lo lleva frente a sus padres.)

LETICIA.—Os suplico que consintáis en nuestra unión, padres míos. Riquet es, para mí, el mejor... *(Le mira. Con tremenda decisión:)* y el más hermoso de los príncipes.

(RIQUET *besa, conmovido, la mano que le sostiene.)*

REY.—*(Muy satisfecho.)* Bien. Así todo se arregla. Os doy mi bendición, hijos míos. Vamos, Juana. Felicitadlos.

(Breve pausa.)

REINA.—*(Furiosa.)* ¡Darío! ¡Pasado mañana se celebrarán los esponsales!

(Se encamina entre reverencias hacia la derecha, muy ofendida, y sale.)

REY.—*(Frotándose las manos.)* Os dejamos, hijos míos. *(Desde la puerta.)* ¡Damas y gentilhombres! Silencio absoluto sobre todo lo ocurrido.

(Sale.)

DARÍO.—*(Inclinándose ante los novios, con cara de vinagre.)* Mis felicitaciones efusivas en nombre del Consejo.

(Sale por la derecha, sin poder evitar un respingo al pasar bajo la triunfal mirada de ORIANA. *Las damas y los caballeros saludan y se encaminan hacia el chaflán, mirándolos con suspicacia.* LETICIA *toma las manos de* RIQUET *y lo mira, arrobada.)*

CLOTILDE.—*(En voz baja.)* ¿Cómo puede ver guapo a semejante adefesio?

IRENE.—*(Lo mismo.)* ¡Porque no ha dejado de ser tonta!

JORGE.—¡Tal para cual!

(Salen. ORIANA *se acerca y ellos se precipitan en sus brazos.)*

ORIANA.—*(Mirando al cielo, mientras los tiene abrazados.)* El sortilegio se ha cumplido.

(Los deja y sale por la derecha. Una pausa. RIQUET *mira fijamente a* LETICIA, *que no se atreve a levantar la vista. Su cara, poco a poco, se ensombrece. Al fin se acerca y toma su barbilla para obligarla a mirarle, lo que ella hace con una forzada sonrisa, que él no secunda.)*

RIQUET.—No se ha cumplido.

LETICIA.—*(Turbada.)* ¡Sí!...

RIQUET.—No.

(Breve pausa. LETICIA *estalla en sollozos y se deja caer en el sofá.)*

LETICIA.—*(Entre sollozos.)* Nos casaremos...

RIQUET.—¿Y seremos felices? ¿Serás feliz con el horrible Riquet, a quien no has dejado de ver horrible desde que... ha matado a Armando? *(Pausa. Se acerca, violento.)* ¿Por qué me has aceptado? Cuando lo hiciste, llegué a creer, por un momento, que el milagro se producía de nuevo... Lo necesitaba tanto, que no me atreví a dudar de tu mentira... Ahora he visto mi fealdad en el espanto de tus ojos. *(Enardecido.)* ¿Crees que podría aceptar esta farsa? ¿Que voy a cometer la cobardía de fingirme engañado? *(Transición.)* Escucha, Leticia: si te crees obligada a mí, te equivocas. No me debes nada, y no quiero gratitud.

LETICIA.—*(Sombría.)* No me rechaces.

RIQUET.—¡Pero no te comprendo! No es al Riquet de tus ilusiones a quien ves en mí ahora, sino al bufón... *(Se acerca.)* Piensa, por un momento, en poner tus labios sobre esta cara, sobre estos labios... *(Ella se aparta con viveza.)* Ya lo ves. *(Pasea, sombrío. Ella le mira, acongojada. El se vuelve y grita.)* ¡No quiero compasión! ¡Quiero tus labios, alegres y temblorosos, sobre los míos!... Te devuelvo tu palabra. Partiré mañana.

LETICIA.—Hazlo, si es tu deseo. Vete con tu soledad y déjame con la mía. Y cuando sepas, dentro de unos años, que casé con otro principe guapo y vacío, y que me hice agria y estúpida, y que distraje mi melancolía con censurables amores fáciles, piensa que todo lo pudiste evitar ahora.

RIQUET.—¿Quedándome?

LETICIA.—¡Te lo suplico! Oriana estaba en lo cierto; estamos unidos con cadena de hierro. Nos necesitamos. Juntos, formamos no sé qué misteriosa armonía..., que ya no podremos romper ni olvidar..., porque la sangre la ha sellado.

RIQUET.—Sí. Y me pesa ese crimen..., que sólo tú podrás perdonarme.

LETICIA.—¡Quédate!

RIQUET.—Piénsalo. Es un hombre feo, sombrío y enlutado el que eliges. Las alegrías terminaron y comienza el dolor. El dolor de nuestra intimidad triste... Nuestra unión será una agonía eterna entre pavanas, un llanto inacabable entre las risas de las damiselas.

LETICIA.—¡Prefiero ese dolor!

RIQUET.—¿A la alegría?

LETICIA.—No. Al horror de otro Armando. A la vana y fugaz ilusión de otro ser brutal y frío, como él, que me hiciese necia y frívola, como él quería que fuese. Al horror de convertirme en otro ser agrio y dominante, como... mi madre.

RIQUET.—¿Qué dices?

LETICIA.—¡No te marches! Sólo tú tienes el poder de abrir mis ojos. *(Se acerca.)* ¡Aunque sea en el dolor, busquemos el sortilegio de nuevo!

(Un silencio.)

RIQUET.—¡Triste destino el nuestro! Has entrevisto los frutos del mundo. Sabes ya de su engañosa belleza, apetecible e inmediata. La sombra de Armando se interpondrá siempre entre nosotros, y ya no podrás ver en mí al príncipe que fué tu ideal... y el mío.

LETICIA.—*(Con ardor.)* ¡Pues amémonos en ese ideal! Soñemos juntos con él en nuestra triste verdad.

(Suave música de violines. La noble contrafigura de RIQUET, *bella y enlutada, aparece, lenta y en silencio, en el mirador. Su alta mirada brilla, cargada de dolor, nostalgia y lejanía.* LETICIA *y* RIQUET, *melancólicos, vuelven sus miradas hacia la galería, con el alma invadida por la añoranza.)*

RIQUET.—Que su recuerdo nos guíe y nos ayude... El nos espera siempre, inalcanzable, en el fondo de nuestros corazones.

LETICIA.—Sí. El nos espera, desde algún mundo sin dolor. Mi dulce y feo Riquet... Ven...

(RIQUET *se aproxima. Ella le toma la cara entre sus manos y lo besa con ternura en los labios, bajo la inaccesible figura que, en su fondo ideal de música y de sueño, presidirá para siempre su difícil amor.)*

TELON

COLECCION TEATRO

Todo el teatro contemporáneo en edición de bolsillo

Núm. corriente: **15** ptas. Núm. extra: **20** ptas.

FORMAS DE SUSCRIPCION: Rellene usted con claridad el boletín que va al respaldo

El primer número que se le envía va a reembolso de 75 pesetas, importe del mismo, y los cuatro sucesivos, que recibirá por correo sin más gastos, en las semanas siguientes.

Con el quinto volumen que reciba queda cancelado su pago, y sin más aviso se le servirá un nuevo reembolso por otros cinco ejemplares, y así sucesivamente.

VENTAJAS DEL SUSCRIPTOR: Estará al corriente de los principales estrenos con éxito de los teatros de España.

Recibirá en su casa, sin ninguna molestia, los tomos antes de haberse puesto a la venta.

Le serán puestos en su domicilio, libres de todo gasto de franqueo y embalaje.

Obtendrá una economía, pues los números extraordinarios (uno cada cinco números) los adquirirá al precio del tomo corriente.

EXTRANJERO:

Cada 50 volúmenes (40 corrientes y 10 extras).

Estados Unidos y Puerto Rico...	850 pesetas	o 14,25 dólares
Resto de América	800 "	o 13,45 "
Europa y demás países...	850 "	o equivalencia

BOLETIN DE SUSCRIPCION

Don ... ... *calle* ... ...

... ...*número* ... ... *ciudad* ... ...

provincia ... ... *desea suscribirse a la* COLECCIÓN *TEATRO*

a partir del número.............., estando de acuerdo con las condiciones establecidas.

(Firma):

Rellene este Boletín y envíelo a ESCELICER, S. A., Héroes del Diez de Agosto, 6.— MADRID (1), o al Apartado número 459.

ANTONIO BUERO VALLEJO

Nació en Guadalajara el 29 de septiembre de 1916. En 1949 obtuvo el Premio de Teatro «Lope de Vega», con HISTORIA DE UNA ESCALERA, que ha alcanzado uno de los más ruidosos éxitos del teatro contemporáneo, situando a su autor en la primera fila de nuestros dramaturgos.

Posteriormente ha estrenado, siempre con el precedente de una expectación extraordinaria, los siguientes títulos, todos ellos publicados en diferentes volúmenes de esta misma Colección: LAS PALABRAS EN LA ARENA (1949), EN LA ARDIENTE OSCURIDAD (1950), LA TEJEDORA DE SUEÑOS (1952), LA SEÑAL QUE SE ESPERA (1952), con cuyo texto íntegro se publica la partitura, compuesta por el propio autor, para la melodía que sirve de fondo a la obra, MADRUGADA (1953), HOY ES FIESTA (1956), que ha sido galardonada con el Premio Juan March, y un SOÑADOR PARA UN PUEBLO (1958).

Los éxitos más recientes de Buero Vallejo son la fantasía velazqueña intitulada LAS MENINAS y EL CONCIERTO DE SAN OVIDIO, cuya calidad teatral y literaria refrenda la alta categoría de que goza el autor.

Pedidos:
ESCELICER, S. A.
Héroes del Diez de Agosto, 6
Apartado, 459
MADRID

15 PESETAS

D